MO BHROGAN URA

le Catrìona NicNèill

GAIRM: Leabhar 100

MO BHROGAN URA

le
CATRIONA NICNEILL

**Sgeulachd a beatha fhèin,
ann am Barraigh, aig an
iasgach, an Glaschu
's an Sasainn**

GAIRM

Foillsichte 1992 le
GAIRM, 29 Sràid Bhatairliù,
Glaschu G2 6BZ, Alba

Clo-bhuailte le
Martin's of Berwick Ltd.

ISBN 1 871901 20 0

Chuidich an Comann Leabhraichean
am Foillsichear le ullachadh agus cosgaisean an
leabhair seo

1. Mo Bhrogan Ura

Uain-eis, tù-ais, trì-eis, an Cairteal,
Uain-eis a' chairteil, tù-ais a' chairteil,
Trì-ais a' chairteil, an cairteal beag.
Rèis, am Briogadan.
Sradadh beòil, sradadh suas, sradadh sìos – Cluich!

Nach saoil mi gum faic mi an còmhlan de nigheanan beaga 'nan suidhe mun cuairt air a' chnoc agus sinn a' gabhail an rann ud fad's a bhiodh aon mu seach againn ag iomairt le trì mollagan beaga; gu fileanta gan tilgeadh suas agus an sin gan glacadh air cùl ar dùirn.

Nan rachadh againn air gach dad a dhèanamh gun gin dhe na mollagan tuiteam b'e an cuairt den chluich air a chrìochnachadh gun mheang, ach nan tuiteadh gin bha 'n èigh dol suas "Chaill thu" is dh'fheumadh an tè a bha 'g iomairt toirt suas sa' mhionaid agus thòisicheadh an ath tè.

Nuair a smaointicheas mi air, nach sinn a bha ruith a' chunnairt a' glacadh na mollaig nar beul anns an t-sradadh beòil? Ach cha chuala mi riamh mu aon a shluig mollag!

Nach e daonnan na làithean math a bhios sinn a' cuimhneachadh air nuair bhios sinn a' coimhead air ais gu làithean ar n-òige? Tha fiosam gur iad a bhios mise co-dhiù, agus bha gu leòr dhiù againn, ged a bha mòran dhen t-seòrsa eile ann cuideachd. Cha bhi guth air an droch shìde, fuachd is gailleann nuair bha sinn gu tric air dhroch càradh, gun aodach freagarrach airson ar cumail tioram agus gun

bhr
ò
gan ach anns a' gheamhradh – agus an uairsin 's e br
ò
gan l
à
idir, a bha gu math cruaidh air casan nach robh cleachdte riutha, a gheobhamaid. Cha robh idir roghainn againn air rud sam bith aig an
à
m a bha mise f
à
s suas oir 's e
à
m a' chiad chogaidh bh'ann agus bha mo dhachaigh ann an eilean mara. Ach ged nach robh ach am beagan airgid aig ar p
à
rantan aig an
à
m airson aodach is caisbheart a cheannach – agus 's e gl
è
 bheag taghaidh a gheobhadh daoine sna b
ù
ithean co-dhi
ù
 – bha iad gu math d
ì
cheallach airson ar beathachadh is gu d
è
 b'fhe
à
rr na iasg
à
s a' mhuir (neo air a shailleadh), bunt
à
ta, brochan is bainne – 's an t-uachdar air thoirt dheth oir dh'fheumadh iad sin airson
ì
m a dh
è
anamh – agus co-dhi
ù
 bha e na b'fhe
à
rr dhuinn mar sin, thatar ag innse dhuinn an-diugh. Cha robh fe
ò
il againn ach ainneamh, mar a rachadh molt a mharbhadh aon uair sa' bhliadhna, is dh'fheumadh iad an sin an fhe
ò
il a shailleadh bho nach robh rathad eile air a cumail gun a dhol dona. An gabh e smaointinn dhuinn dachaigh gun frids? Dh
è
anadh mo sheanmhair maragan dubh agus geal, brot air ceann caorach a bhiodh f
ì
or mhath agus, nuair a bhiodh i bruich na fe
ò
il shaillte chuireadh i 'm bogadh i fad oidhche gus an salann a thoirt aisde is an sin chuireadh i uisge no dh
à
 eile oirre mun cuireadh i sa' phoit i leis a' bhunt
à
ta air a sgr
ì
obadh c
ò
mhla rithe gus an c
ò
rr salainn a thoirt aisde.

Bha fe
ò
il na d
ù
chadh cho blasda seach an fhe
ò
il a gheibh sinn gu tric an-diugh le t
ò
rr de gheir oirre. Cha robh na caoirich a bha 'g ionaltradh air an fheur n
à
durra idir cho reamhar.

Bhiodh sinn a' cur t
ò
rr de bhunt
à
ta a h-uile bliadhna is gheobhadh na beathaichean, an c
ù
 's na cearcan an cuid fh
è
in dhiubh. Is e biadh mar a bh'againn fh
ì
n a bhiodh an c
ù
 a' faighinn, chan e idir fe
ò
il is gnothaichean annasach
à
 canastair – agus bu mhath, beothail a bhiodh e air!

Chan eil mi cinnteach a robh sinn a' faighinn s
ì
ol airson sn
è
ap, currain, c
à
l 's a leithid sin an
à
m a' chiad chogaidh; bha mi ro
ò
g airson an aire thabhairt ach tha fiosam gum biodh sinn a' cur gu le
ò
r

'na dhèidh sin. Bha deagh fhearann againn air a shon. Bhiodh dà sheòrsa snèap ga chur, seòrsa le mullach purpaidh (swede) agus feadhainn le mullach buidhe ('S ann airson nam beathaichean sa' gheamhradh a bha iadsan 's nuair bheirte staigh na caoirich laga don chroit bhìte gearradh suas nan snèap dhaibh). Cha chumadh iadsan cho math, rachadh iad còsail 'nam broinn.

Os cionn gach rud bha uisge àlainn, glan againn anns na tobraichean agus a' tighinn a-nuas bho na monaidhean, chan ann troimh phìoban uisge mar a gheibh sinn gu daor a-nis – uisge cruaidh mì-thlachdmhor a dh'fheumar rud a chur ann gus fhàgail nas buige airson na nigheadaireachd.

Gun teagamh dh'fheumadh sinn an t-uisge a tharraing dhachaigh agus a dhòirteadh a-mach a-rithist ach bha sinne gu math fortanach, bha abhainn a' ruith ri taobh an taighe againn is bha uisge nigheadaireachd daonnan aig làimh ged a bha uisge an tobair beagan na b'fhaide air falbh.

Cha chuireadh e gruaman oirnn dol don tobar nuair bha sinn òg, agus a bha gach seòrsa de fhlùraichean brèagha air an rathad ga ionnsaigh, a bhiomaid a' buain. Saoilidh mi gu faic mi fhathast iad agus gu faigh mi am fàileadh aca, agus aig àm gearradh an fheòir bha fàileadh na seamraig cho làidir a' tighinn air a' ghaoith mar chùbhras na meala.

Sa' gheamhradh, nuair thigeadh an droch shìde ge-tà, cha robh e cho tlachdmhor a bhith dol fodha sna lubaichean ged a bha 'n t-uisge ri thoirt dhachaigh air an aon dòigh às an tobar.

Bidh mi smaointinn ciamar idir a bha dol againn air fighe is fuaghal a dhèanamh le solas fann an làmpa paireafain a bh'againn mun tàinig an làmpa Tilley. Is ann an àm a' gheamhraidh a bhìte a' dèanamh an t-snìomh 's a' càradh na lìon agus a h-uile rud mar sin a bhiodh cothrom air a dhèanamh nuair nach biodh obair a-muigh ag èigheach, mar àm eile den bhliadhna. Bhiodh an làmpa beag ri lìonadh a h-uile latha, a' ghlainne ri ghlanadh agus an t-siobhag ri chur an òrdan – ach nam biodh an t-siobhag an rud bu lugha neo-

chothromach an dèidh sin uile dh'èireadh an stopag bheag sin suas
is dhubhadh e 'ghlainne ann a mionaid 's chan fhaicte dad idir an
uairsin 's cha bhiodh ach tòiseachadh air glanadh a h-uile rud a-
rithist.
Mar an ceudna bha lainntearan ann a bha riatanach airson dol 'na
bhàthaich na leithid sin air na h-oidhcheannan dorcha.
Bha iadsan
eadhon na bu duilghe an toirt às a chèile 's an glanadh na bha na
làmpaichean agus mar biodh tu gu math cùramach a' cur na glainne
dòigheil 'na h-àite agus nan tigeadh oiteag chruaidh gaoithe rachadh
an lainntear às gu grad – gad fhàgail ann a meadhon an dorchadais
gun fhios co-dhiù bha thu falbh neo tighinn!
Thàinig atharrachadh mòr air an t-saoghal bhon àm sin – cuid
dheth math ach cuid eile nach robh cho math idir, saoilidh mi. 'S e
fìor rud math a bh'ann gun d'fhuaras solas an dealain anns na h-
eileanan. Cha robh sin idir ann am Barraigh nuair dh'fhàg mise e
ann a 1965 ach nuair thill mi an uiridh cha mhòr nach robh h-uile
rud aca cho goireasach ris a' bhaile mhòr. Saoil gu dè chanadh mo
sheanmhair nam faiceadh i àmhainn 'microwave' neo 'video'!
Cha robh dìth bìdh oirnne nuair bha mi òg ged nach robh
annaisean sam bith ann mar tha an-diugh. Cha bhiodh fiosam air an
t-saoghal gu dè bh'ann a 'lasagne' na 'pizza' is shaoilinn gur e goid a
bh'ann an 'Take-away' ach chan e sin do chlann nan eileanan a-nis –
chan urrainn neach sam bith magadh orra airson an aineolais is tha
'bhlàth sin ann: tha iad earbsach asda fhèin, mar nach robh sinne,
agus thug e toileachadh mòr dhomh sin fhaicinn.
Bhiodh òigridh nan eileanan, rim lìnn-sa, cur suas le ana-ceartas,
gu tric nuair thogadh iad a-mach gu cosnadh an toiseach oir bha
diùideachd annta nach robh idir sna Goill.
Ach co-dhiù bha làithean ar n-òige glè thoilichte; cha robh fios
againn air na b'fheàrr oir bha h-uile aon againn air an aon chàradh
(gu glè bheag) is leis an sin cha robh farmad aig a h-aon ri chèile.
Theireadh iad "cha laigh fuachd air uallach" 's cha robh sinn ag
ionndrain bhrògan gus an tigeadh na 'màirteanan' air na casan

againn 's am biodh iad cho goirt ga nighe aig àm cadail.

Bha ceannach agamsa air paidhir bhrògan ùra a cheannaicheadh dhomh nuair bha mi mu cheithir bliadhna dh'aois. Cha ghabhadh faighinn ach feadhainn bu fhreagarraiche airson gille, ann a leathar làidir a thòisich air goirteachadh mo chasan cho luath 's a chuir mi orm iad. Chuireadh ola orra gus a fàgail na bu bhuige ach cha robh e gu feum. An ceann ùine glè ghoirid cha b'urrainn dhomh coiseachd idir leo. An cuala sibh riamh còrns a bhith air aois cheithir bliadhna? Uil, bha iad ormsa – còrns bhoga air aon de m' chasan cho dona 's gun do rinn iad crioplach dhiom agus gum b'fheudar cur a dh'iarraidh an dotair dhomh. Chuir esan plàsda-leigheis air mo chois agus cha robh e ri thoirt dhith gus an togadh e dhith leis fhèin, agus nuair rinn e sin thog e na còrns leis. Cha do dh'fhairich mise a leithid riamh tuille is tha mi nis ceithir fichead bliadhna dh'aois!

Nuair a fhuair mi cothrom nan cas a-rithist chunnaic banacharaid do m'athair mi agus, bhon thachair gun e ainm a màthar a bh'orm cuideachd, thàinig i gu coibhneil a bhruidhinn rium is i air cluinntinn mar thachair dhomh.

Bha bùth acasan ann am Bàgh-a-Chaisteil anns an robh iad a' reic a h-uile seòrsa – eadar min-fhlùir, choirce is Innseanach is gach grosaireachd eile a bharrachd air aodach às gach seòrsa airson a dhèanamh suas agus caisbheart (Stòr san fharsaingeachd). Thuirt i rium "Coma leat, gheibh mise brògan-ìosal snoga dhutsa agus theid mi fhìn an urras nach goirtich iad thu".

Brògan-ìosal dhòmhsa! Cha chòir gun creidinn mo dheaghfhortan. Cha robh brògan-ìosal riamh reimhid agam – ged a bha brògan putanach agam aon turas, mu fhìor thoiseach a' chogaidh. Is gann nach b'fhiach e mo chasan a bhith goirt airson brògan mar seo fhaighinn.

Cha b'urrainn dhomh feitheamh gus na brògan ùra fhaighinn – cha robh dàil ri bhith ann 'nam bheachd-sa. Ge dè fios a bh'agamsa gu feumte cur gan iarraidh leis a' phost agus an sin feitheamh gus an tigeadh iad leis a' bhàta-aiseig agus gun gabhadh sin ùine. Cha robh a leithid sin 'nam chunntais idir.

Leis a sin bha mi gabhail fadachd mhòr nach robh mi faighinn mo bhrògan, ach cha tubhairt mi dad dhe sin a-staigh idir; is ann a thog mi orm don bhùth leam fhìn, aon latha, gan iarraidh. Bha a' bhùth mu leth-mhìle dh'astar bho m' dhachaigh.

Mar a dh'innis am boireannach do m' mhàthair ràinig mi gu dòigheil agus thuirt mi rithe gun tàinig mi dh'iarraidh nam brògan. Fhreagair ise nach tàinig iad fhathast, gu feumainn feitheamh gus an tigeadh iad leis a' bhàta. Tha mi cinnteach gun tug i dhomh briosgaid airson mo thoileachadh is dh'fhalbh mi gu modhail air mo rathad dhachaigh.

Ach, nuair shaoil i gu robh mi gus a bhith staigh thill mi air ais agus thuirt mi rithe gu robh 'n t-eagal agam roimh na h-eich a bha 'n siud. Dh'fhalbh i leam air làimh sìos an rathad gus na ràinig sinn far an robh dhà neo trì dhe na pònaidhean Barrach gu socrach ag ionaltradh – air taobh eile na feans – is iad a' toirt an aire air an gnothach fhèin, gun chunnart do neach sam bith. Cha tug iad eadhon sùil oirnn anns an dol seachad.

Rachainn gun eagal sam bith dlùth air crodh on bha mi eòlach gu leòr orra-san ach 's e gnothach eile bha sna h-eich. Cha robh mi dol a ghabhail dànadas sam bith orra.

Ach cho fad's gum bi 'n dual ruigear a cheann agus thàinig na brògan mu dheireadh – agus cha b'e mhàin brògan-ìosal brèagha ruadha ach cuideachd stocainnean fasanta de chlòimh mhìn àlainn air an aon dath. Chan ann idir coltach ris na stocainnean de chlòimh ghaidhealaich a bha mi cleachde ris.

Cha robh Bàn-righ riamh cho pròiseil! Cha b'urrainn mi feitheamh gus a faighinn orm mo chaisbheart ùr is dh'fhalbh mi 'nam leum a thaigh mo sheanar, a bha dlùth don taigh againn fhìn.

Ach mo chreach! Bha mi ruith cho luath is nach do mhothaich mi don bhuachar mairt a bha dìreach 'nam rathad is bha mo chas ann mum b'urrainn dhomh stad.

Ann am briobadh na sùl dh'fhalbh mo shòlas gu buileach. Leis na deòir a' ruith bho m'shùilean dh'fhiach mi ri m' bhròig a ghlanadh air an fheur ach cha robh mi ro dhòigheil agus thuig mi nach b'urrainn dhomh nis dol a thaigh mo sheanar. Bhiodh e feargach rium, bha mi cinnteach, on bhiodh e fhèin daonnan a' coimhead cho glan, le gruaig ghil agus 'fheusag a cheart cho geal. Bha beagan do dh'fhiamh agam roimhe; cha robh e idir coltach ri m'athair, ged a bha gruag m'athar geal cuideachd. Tha mi smaointinn gur ann a chionns nach robh seanmhair a-staigh aige mar bha againn fhèin a bha mi ga shaoiltinn car fuadain. Dh'eug màthair m'athar fada mun do rugadh mise. Thill mi dhachaigh gu math na bu mhaille na dh'fhàg mi. Chan e idir an diumbadh a bhiodh rium airson mo chion-mothaiche bu duilghe leam ach an dorran a bh'orm gun do shalaich mi na brògan a bha cho prìseil agam. Cha robh an ègo agam ach gu math ìosal an lath' ud!

Chaidh a chur annainn cho daingeann gu feumamaid coimhead às dèidh a h-uile rud gu cùramach bho nach robh an cothrom ann air cur 'na àite agus ghabh sinn an leasan sin gu math. Thuig sinn gu robh againn ri cuideachadh, chan e idir dragh thoirt seachad – agus nuair a bha sinn ag obair gu sùnndach còmhla rachadh againn air gu leòr de dh'fheum a dhèanamh agus toileachadh fhaighinn às cuideachd.

Chan e ainglean a bh'annainn idir – fada bhuaithe! Bha sinn a' faighinn ann an croisean mar bha clann riamh ach bha a Sealbh air ar taobh, tha mi smaointinn, agus nan tachradh sgiorradh dhuinn, mar bha tuiteam san abhainn na measg dhrisean – mar as minig a thachair 's sinn a' buain smeuran – cha toireadh sinn a naidheachd dhachaigh nan gabhadh e dèanamh is bhiodh sinn na b'fhaiceall-aiche an ath turas.

Mar sin bha sinn gar n-ionnsachadh fhèin air an dòigh a b'fhasa dhèanamh. Cha robh ùine aig ar màthraichean airson bhith coimhead às ar dèidh oir bha fada tuilleadh 's a' chòir de dh'obair aca ri dhèanamh a-muigh 's a-staigh: bha h-uile cùram air an

2. Eilean m'àraich

Is ann an eilean Bharraigh a chaidh mo bhreith is m'àrach – am prìomh eilean agus an aon as motha dhen ghrunnan ris an canar na h-eileanan Barrach. Is iad as fhaide 'n iar-dheas dhe na h-Eileanan Siar. Chan eil ann ach eilean beag; cho beag agus nach eil an rathad mun cuairt air ach mu cheithir mìle deug a dh'fhad ach tha h-uile rud a dh'iarr mise riamh air an t-saoghal ann ged a b'fheudar dhomh fhàgail airson obair fhaighinn oir is e sin an rud nach robh idir ann aig an àm – chan eil mòran a bharrachd ann an-diugh nas mò.

Ach tha mi cinnteach gun abair gach aon a dh'fhàg eilean àraich fhèin – co b'e an t-eilean – an aon rud oir tha dòigh-beatha air leth anns na h-eileanan nach tuig muinntir tìr-mòr.

Tha dlùitheas is dàimhealachd anns an t-sluagh; tha barrachd eòlais aca air a chèile agus (anns na h-eileanan beaga co-dhiù) is ann air an ainmeachadh air am pàrantan, neo far-ainm, tha chuid as motha, chan ann idir air a sloinneadh mar tha ceart aig a' mhòr-shluagh. Chan eil a' faighinn a sloinneadh dòigheil ach an fheadhainn as àirde dreuchd – mar phears-eaglais, dotair na leithid sin, agus coigrich, gun teagamh.

Bidh mi dèanamh snodha beag gàire rium fhèin nuair choimh-deas mi ann a leabhar na fòn à Barraigh – is e 'Phoney book' an t-ainm tha air – is toigh leam an litir a bharrachd a thug iad dhà. Chì mi gu leòr de ainmeannan nach aithnich mi ach, fòdhpa anns a' Ghàidhlig, tha ainm an athar neo a màthar, uaireannan far-ainm is

9

tha fios agam sa' mhionaid cò th'ann. Tha e air leth math don
fheadhainn a bhuineas don eilean a chaill iomradh air an òigridh a
tha nis air fàs suas is air pòsadh agus an ainmeannan air
atharrachadh.

Tha suairceas cuideachd an gnàth anns na h-eileanaich agus
muinntir na Gaidhealtachd gu lèir. Air cho trang 's gum bì iad tha
ùine aca daonnan airson fàilte chur air a' choigreach agus coibhneas
a shealltainn dhà. Tha 'bhlàth 's a bhuil: chìtear gu leòr de shluagh
nam bailtean-mòra, agus eadhon thar chuantan, a' tighinn thun na
Gaidhealtachd a chur seachad a làithean saora. Cluinnidh sinn
daonnan mun 'fhàilte Ghaidhealaich' a bheir toileachadh don
luchd-tadhail a thig an rathad.

Chuala mi coigreach ag ràdh gu robh eadhon na coin fhèin
càirdeil 's air m'fhacal tha e fior!

Nach cuir e smaointinn oirnn? A cheart fheadhainn tha sealltainn
a leithid do choibhneas gur iad sliochd na feadhna a dh'fhuilig na
tàmailtean an-iochdmhorach anns na linntean a dh'fhalbh nuair
chaidh na h-uiread dhiubh a sgiùrsadh a-mach às an dachaighean
agus an cuid fearainn , le uachdarain ghàbhaidh a bha coma ach
beairteas a dhèanamh dhaibh fhèin oir, 'nam beachd, 's e fèidh is
caoirich a b'fheàrr a bheireadh sin dhaibh na daoine.

Cha robh iochd annta! Anns a' bhliadhna 1851 chaidh tòrr mòr
dhaoine às na h-eileanan fhèin a chur air falbh do Chanada.

Ann am Barraigh is ann nuair theirig obair na ceilp, a bha toirt
beò-shlainte don t-sluagh còmhla ris an iasgach agus a' chroitear-
achd, nach robh cothrom aig a' mhòr-chuid air a' mhàl a
phàigheadh air na croitean aca. Cha robh nis aca ach an t-iasg a
ghlacadh iad agus toradh an talmhanna gus an cumail beò. Le bhith
toirt an èisg, buntàta 's a leithid sin mar iomlaid airson gnoth-
aichean a bha riatanach dhaibh a cheannach anns na bùthan
rachadh aca' air èiginn, air a' ghnothach a dhèanamh.

Ach 's ann an uair sin a dh'àrdaich an t-uachdaran ùr a bh' air
Barraigh aig an àm, às dèidh Mhic Nèill, a mhàl air na daoine bochd

a bha cheana 'nan èiginn (b'fheudar do Mhac Nèill an t-eilean a reic nuair bhris air le trèigsinn obair na ceilp nach robh nis margadh ri fhaighinn dha). An fheadhainn nach b'urrainn pàigheadh bha 'n crodh aca gan toirt bhuapa uidh-air-n-uidh gus an robh iad falamh.

'Sann a' bhliadhna thàinig an dubhadh air a' bhuntàta is nach robh dad idir a-nis a phàigheadh màl na bheathaicheadh na teaghlaichean a fhuair an t-uachdaran a leisgeul a bha dhìth air.

Rinn e fhèin agus fhir-leanmhainn suas clàr-ainm dhe na daoine bochda, a' cur sgainneal orra le casaidean breugach agus ag ràdh gu robh iad leasg 's nach dèanadh iad obair, a bharrachd. Bha seo a' toirt dha reusan – ma b'fhìor – airson an sgiùrsadh air falbh, iad fhèin 's an teaghlaichean.

Chaidh an sin an cròdhadh mar gum biodh caoirich, ged a bha aon neo dhà a fhuair air falbh bhuapa ge b'oil leo, agus an cur air bòrd an eathair a bha gus an toirt air falbh.

Ràinig an sluagh truagh sin Canada an dèis astar-mara nach b'urrainn a bhith ach ànrach dhaibh, is chaidh an trèigsinn an sin, gun dachaigh, gun neach a shealladh càirdeas dhaibh.

Na gealltanais a rinneadh dhaibh, gu faigheadh iad cuideachadh airson dachaighean is obair nuair a ruigeadh iad, cha robh annta ach tuilleadh bhreugan.

Cha robh sgoil na sgrìobhadh aig a' mhòr chuid dhiù. Is e iasgach is croitearachd a bha cleachdadh aca air ach bha iad air a fàgail an siud a-measg choilltean àrda a dh'fheumadh iad tòiseachadh air a ghearradh sìos ma bha dùil aca taighean a thogail agus fearann rèiteach airson bàrr a chur.

Thuig iad nach robh ann dhaibh ach "Iain a mhic thoir thu fhèin às" is cha robh an sealladh a bha 'nan coinneamh ach fìor ghruamach.

Nach tuirt am bàrd Tiristeach na bha 'nan cridheachan uile nuair rinn e an t-òran, 'A'Choille Ghruamach'.

Ach a dh'aindeoin gach fuachd is ànradh ann an dùthaich chèin is gach beathach gràineil a bha tighinn 'nan rathad sheall na Gaidheil a stuth a bh'annta leis mar a fhuair iad buaidh air a h-uile cnap-starra a bh'ann. Sheall iad gu dearbh nach robh aon leisg annta. Chì an saoghal sin an-diugh; tha bailtean, bàigh is beanntan le ainmeannan Gaidhealach orra ann an Canada. Rinn iad càirdeas ris na h-Innseanaich a bha 'n t-eagal aig càch rompa is fhuair iad air adhart còmhla riutha.

Tha tuineachas mòr dhe na Gaidheil ann an Ceap Bhreatainn agus tha Ghàidhlig 's na dòighean Gaidhealach aca gan cumail suas le pròis. Dh'ionnsaich an seanairean – na h-eilthirich bhochda a rinneadh a leithid de thàmailt thoirt dhaibh-don cuid cloinne a h-uile rud, gach ceòl – pìobaireachd is òrain – dannsa agus cluichean a dh'ionnsaich iad fhèin aig an dachaighean. Cha do rinn iad riamh dìochuimhne air an cànain fhèin agus chuir iad rompa nach dèanadh an clann na bu mhò. Bidh iadsan a-nis a' tighinn, bho àm gu àm, a dh'fhaicinn an àite far na dh'àraicheadh an sinnsearachd agus is ann le pròis a dh'fhaodas iad an cinn a thogail air tàilleabh an fheadhainn a chaidh tàire agus ana-cheart a dhèanamh orra is nach do choisinn riamh e!

Saoilidh mi nach biodh sliochd na feadhna a rinn an tarchuis agus an drochbheirt ro phròiseil à eachdraidh a seanairean fhèin co-dhiù.

Nach truagh feadhainn a bheir sgainneal don cuid cloinne neo-chiontach, oir bidh sin air a chuimhneachadh bho linn gu linn 's a' cur nàire orra. Chì sinn e tachairt san là diugh, feadhainn le 'n sannt neo-chuimseach a' mealladh an co-chuideachd airson maoin saoghalta – gun smaointinn 's gun chuinnseas mu dheidhinn an eucoir a tha iad a' dèanamh. Tha iad air an dalladh don h-uile rud ach na tha iad fhèin a' miannachadh 's a dh'fheumas iad fhaighinn, co b'e dh'fhuilingeas air a shon.

Nach e bha fìor, am fear a thubhairt "Bi treidhireach dhut fhèin 's chan urrainn dhut bhith meallta ri neach sam bith eile"!

3. Am a' Chiad Chogaidh

Cha robh mi ach trì bliadhna dh'aois nuair thòisich an 'Cogadh Mòr' – an cogadh a bha "gus crìoch a chur air a h-uile cogadh agus a dh'fhàgadh Breatann airidh airson ghaisgeach bhith còmhnaidh innt". 'S e sin a bha ri ràdh co-dhiù.

Ach, mo thruaighe, cha b'ann mar sin a bhà idir, ged is beag bha fios agamsa air an sin aig an àm.

Bha fiosam carson nach robh m'athair aig an taigh a-nis; chaidh e dhan Nèibhi a chionns 's gu robh cogadh ann agus cha bhiodh e dol a dh'iasgach tuilleadh gus am biodh an cogadh seachad.

Bha 'm bàta iasgaich aige 's i 'na laighe suas sa' phort agus na lìn 'nan tòrr a' dol a dholaidh is iad gun chairteadh gun dad a dhèanamh riutha gus an cumail gun ghrodadh. Og 's mar a bha mi bha sin a' cur dragh orm; bha fios agam gu robh rudeigin às-rathad air dhòigh air choreigin is tha e coltach gum bithinn a' faibh a h-uile latha chur còmhail air na seann-daoine bhiodh a' cruinneachadh còmhla a bhruidhinn air cor an t-saoghail. Bha mi sean-fhasanta 'nam dhòighean, feumaidh. Is mi b'òige do chòigear a theaghlach; dithis ghillean agus triùir nighean.

Bha na gillean air an sgoil fhàgail a-nis ach bha iad fhathasd ro òg airson an togail don chogadh. Bha Niall, an t-aon a b' aosda a' cuideachadh le obair na croite, agus bha feum air oir bha gu leòr ri dhèanamh, ach cho luath 's a dh'fhàg mo bhràthair a b'òige an sgoil chaidh e dh'obair do dh'Oifis a' Phuist 'na ghille na teileagraf airson agus gun cuidicheadh e ris an dachaigh a chumail. 'S e obair gu math cruaidh a bh'ann dha cuideachd, bha gu leòr de theileagraman a' tighinn aig an àm air tàilleabh a' chogaidh agus is ann dha chois a bha e dèanamh nan turas – air astar fada cuideachd, gu tric.

Ach a h-uile cothrom a bha iad a' faighinn bha mo dhithis bhràithrean a' dol a-mach a dh'iasgach leis a sgoithe bhig agus an t-iasg a gheibheadh iad bha e air a roinn airson agus gu faigheadh na nàbaidhean nach robh iasgair aca an cuid fhèin dhe. Sin mar bha na daoine cuideachadh a chèile an àm a' chruaidh-chàs.

Cha robh mi ach glè òg nuair ghabh mi fhìn 's mo dhithis pheathraichean a' ghriùthrach. Cha do chuir i mòran ormsa na air Màiri, an tè bu dlùithe dhomh an aois ach bha mo phiuthar a b'aosda Anna glè bhochd is dh'fheumadh i barrachd aire oir bha i dona leis a' chuinge nuair bha i òg cuideachd.

Bha 'n dithis againne air ar fàgail air ar toil fhèin ged bha againn ri fanail san leapa air eagal 's gu rachadh a' ghriùrach 'a-staigh air ais' na faigheadh sinn a fuachd. Cha robh mòran eagail gun tachradh sin on bha tòrr aodaich air an leapa. Bhatar a' creidsinn aig an àm ud gun fheumte cumail blàth agus gun deoch idir thoirt don euslainteach ach na fhliuchadh na bilean – car an aghaidh mar thatar ag innse dhuinn an-diugh 's e gu leòr do dheochannan fionnar thoirt seachad airson a fiabhras a thoirt a-nuas agus gun ach am beagan aodach leapa, a dh'iarrar oirnn.

Chan iongnadh idir ged a bha uiread de chloinn a' bàsachadh leis a' ghriùraich aig an àm ud.

Feumaidh gu robh sinne gu math ruighinn ach fhuair sinn seachad oirre co-dhiù, ged a bha sinn a' tràthadh leis a' phathadh agus ag aisling air deochannan fuara, fionnar nach b'urrainn dhuinn fhaighinn. Bha sinn gu math sgìth den leapa cuideachd ach ma faigheamaid air ar casan bha aon rud eile againn ri fhaighinn – tomhas de chastar-aoil. Cò agaibh aig a bheil cuimhne air a' chastar-aoil a dh'fheumte ghabhail cha robh e gu deifir dè bhiodh ceàrr? B'fheàrr leam sals a ghabhail, bha sgreamh agam roimhe! Ach ciamar a gheobhamaid a sheachnadh?

Gu mì-fhortanach (dhìse) dh'fhàg mo mhàthair am botal castar-
aoil air a' bhòrd ri taobh na leapa deiseil airson a thoirt dhuinn ach
dh'fhalbh i ann an cabhaig airson rudeigin eile a bh'aice ri coimhead
dha agus fad 's a bha i air falbh smaointich sinne nam biodh
cothrom againn air a' bhotal fhalach ma-dh'fhaoite nach biodh
cuimhne tuilleadh aice air. Cha robh mòran tùir annainn! Fad 's a
bha sinn a' dèanamh ar planaichean thàinig an cuilean beag snog a
bh'againn aig an àm a chur fàilte oirnn mar b'àbhaist. Rinn sinn
toileachadh ri Sally agus bha sinn a' bruidhinn rithe nuair a
mhothaich i don bhotal castar-aoil agus, mar a h-uile aon dhe
seòrsa, chuir i a sròn ris fiach dè bh'ann agus thuig sinn gu robh am
fàile a' còrdadh rithe.

Thàinig grad-smuain thugainn, dh'fhosgladh am botal agus dh'òl
Sally a h-uile boinne dhen ola gu sùnndach. Bha sinne a'
gàireachdaich gu toilichte agus Sally ag imlich a sliopan nuair
thàinig mo mhàthair! Uill, cuiridh mi sgàile air gu dè thachair an
dèidh sin ach fònaidh dhomh ràdh gu robh deagh chuimhn aig mo
mhàthair air botal eile castar-aoil fhaighinn gu h-aithghearr agus
tomhas math thoirt dhuinn dheth cuideachd – cha d'fhuair Sally
boinne!

Cho luath 's a fhuair sin air ar casan, ged nach robh còir againn a
dhol a-mach fhathast, bha 'm buaireadh ro mhòr is chaidh sinn a
chluich ri taobh na h-aibhne a bha ri taobh an taighe. Cha tug sinn
an aire gu robh i car fuar, leis an toileachadh faighinn a-mach ach
dh'fhàs mise gu math tinn. Dhùin na sùilean agam is chan fhaicinn
dad an dèidh sin. Tha cuimhne agam cho goirt 's a bha mo shùilean
nuair bhatar a' cur na boinneanan à botal an dotair annta. Bha mi
gu math fortanach gun d'fhuair mi mo fhradharc air ais ach bha mo
shùilean daonnan lag. Bha feum agam air an deagh dhotair a
bh'againn co-dhiù.

Chaidh mi don sgoil aig ceithir bliadhna gu leth. Cha robh aon
fhacal Beurla agam on 's e a' Ghàidhlig a bhatar daonnan a'
cleachdadh a-staigh. Ach bha gu leòr do Ghàidhlig aig mo bhean-

teagaisg cuideachd is fhuair mi air adhart glè mhath. Bha mi riamh dèidheil air ionnsachadh agus bha mi toilichte san sgoil bhon chiad latha. 'S ann a thug an deagh ionnsachadh dhuinn mo sheanmhair. 'S e ise ghabh sinn os làimh oir bha mo mhàthair daonnan cho trang aig obair a-muigh. Mun robh an cogadh seachad b'fheudar do m' dhithis bhràithrean falbh gu muir air neo bhiodh iad air an togail airson an Airm agus is e mhuir a b'fheàrr leo.

Bha mo sheanmhair air leth sgileil air dèanamh feum do lusan às gach seòrsa airson leighis. Chuireadh i sinne suas don bheinn a bhuain roid (*bog myrtle*) a bha fàs air bruaich aibhne a bha tighinn a-nuas gu glan àlainn thairis air na clachan. Bha iomadh seòrsa de lusan a' fàs mun cuairt ann ach 's e an roid agus lus a' chrùbain (*gentian*) a bha sinn ri bhuain. Cha robh 'n còrr a dhìth òirnne ach dol suas a-measg a' fhraoich chùbhraidh a bha às gach seòrsa, eadhon toman beag de fhraoch geal an siud 's an seo.

Nuair thigeadhmaid dhachaigh leò bhiodh ise gan goil suas is a' cur sin ann am botail gus an tigeadh feum air. Dh'ionnsaich i bho a màthair fhèin a h-uile rud dhe seo; is e ban-altram a bh'innte-se agus tha e coltach gu robh i cho comasach agus gun d'fhuair i teisteanas airson a h-obrach – a' chiad aon a fhuair e ann am Barraigh.

A bharrachd air na lusan airson leighis bhiodh mo sheanmhair agus mo mhàthair a' cur feum air cnotal, fraoch, còrcair is guirmean airson dath na clòimhe agus bu bhrèagha na dathan a dhèanadh iad cuideachd.

Bhiodh na rùisg chlòimhe ri nighe gu math 's ri'n tiormachadh – gan dath, ma bha sin ri dhèanamh – agus an sin bhite a' cìreadh na clòimhe airson a h-uile plucan thoirt aisde; obair gu math fadalach. An dèidh sin rachadh a càrdadh dà uair – bhiodh armadh (ùille an àite na h-ùille nàdurra bha sa' chlòimh roimh nighe) ga chur innte aig àm a' chàrdaidh airson fhàgail na b'fhasa, dhèante peàrdachan an toiseach agus an sin rolagan mum biodh i deiseil airson a snìomh.

Nuair bhiodh i air a snìomh bha dà dhual ga chur ri chèile airson neart a thoirt don t-snàth – agus bha sin ga dhèanamh le fearsaid, – an car ga chur san t-snàth le bhith ruighleadh na fearsaid mun cuairt eadar an òrdag agus a' chorrag is an sin a' leigeil leis a' chudthrom aig an dual a chur san t-snàth – 's e obair fhadalach eile bha 'n seo. Dh'fhaodte iarna (*hank*) a dhèanamh dheth a-nis agus a nighe rithist ma fighte e air neo fhighe mar a bha e agus a nighe nuair a bhiodh e deiseil.

Bha gu leòr de dh'obair ri dhèanamh air a' chlòimh agus 's e aodach clòimhe a bhatar a' cosg aig an àm ud mar bu mhotha. Dh'fhaodte a' chlòimh a chur don mhuileann airson snàth dhèanamh dheth ach chosgadh sin airgead, rud nach robh mòran aca dheth ach dh'fheumamaid a chur don mhuileann airson plaideachan is cuibhrigean oir nach robh (rim linn-sa) beartan-fighe mòr gu leòr ann airson sin ged a b'àbhaist iad bhith ann. Bha beart bheag agam fhìn aon àm ach cha dèanadh i ach slat a leud.

Tha plaideachan agam fhathast a rinneadh sa' mhuileann le clòimh nan caorach againn fhìn is tha iad mar gum biodh iad ùr – an ceann còrr agus leth-cheud bliadhna. Is e na caoirich dhubh-cheannach bu mhotha bh'againn dhiù, bha iad cho cruadalach, ged nach robh a' chlòimh aca cho fìor mhìn ris na caoirich bhàn a bh'againn.

Nuair bha sinn òg gheobhamaid an cìreadh ri dhèanamh agus an sin dh'ionnsaich sinn an càrdadh ach bha ùine mhòr mun d'fhuair sinn an còir na cuibhill-shnìomh. Bha i ro phrìseil aig mo sheanmhair agus gun cuireadh i a' làmhan chloinne i.

Chaidh a dèanamh air a son fhèin ann an Tiriodh nuair bha i air a fàgail 'na banntraich òig agus is mòr an obair a rinn i leatha agus tha mise gu math pròiseil a-nis gun tug mo mhàthair dhomh fhìn i nuair shàbhail mi i bho bhith air a leigeil a dholaidh ann an taigh beag aig àm an dàrna cogaidh.

Bha meas mòr agam air mo sheanmhair agus nuair fhuair mi a' chuibheall-shnìomh air a dìochuimhneachadh ghlan mi i gu math is chuir mi ola oirre ach bha i car mìllte air tàilleabh a bhith air a fàgail cho fada is cha robh i 'g obrachadh ro mhath dhomh, ged a fhuair mi a' dol i, ach nuair a thàinig sinn a Shasann chàirich mo mhac, Alasdair, i gu h-àlainn, rinn e cìr ùr dhi is tha i agam an seo gu snasail agus gach aon thig a-staigh a' mothachadh dhi. Rinn mi obair gu leòr leatha, eadhon geansaidh dom mhac as òige le clòimh a chìr e thar a' choin (*Old English sheep dog*) aige fhèin agus tha sin cho coltach ro clòimh na caorach – ach nas mìne. Is e tha pròiseil às!

Nuair dh'ionnsaich mise fighe an toiseach is ann le dà ite-sgèithe faoileig bho nach robh bioran fighe ri fhaighinn aig àm a' chiad chogaidh. Bha itean na faoileig na bu làidire na ite circe agus bha gu leòr dhiù ri fhaighinn air an làr. Is iomadh rud a dh'fheumamaid dèanamh às aonais ach cha do chuir sin dragh oirnn oir cha robh cleachdadh againn air mòran. Cha robh 'toys' idir againn gus an tug m'athair thugainn doileag an t-aon. Chan fhaca sinn a leithid riamh. Tha cuimhne agam fhathasd air an tè a fhuair mi fhìn, bha i cho àlainn, le aodann brèagha sìna oirre agus i le cleòc agus bonaid dhearg. Cha robh doileag dhòigheil agamsa riamh ach feadhainn luideig a dhèanadh sinn fhìn, nuair dh'ionnsaich mo sheanmhair sinn air an dèanamh, agus bha mi air mo chlisgeadh gun èireadh beud dan tè-sa.

Bhiodh sinn a' dèanamh 'dreasair beag' le pìosan de shoithichean-crèadha a chruinnicheamaid an siud 's a seo, 's e 'bòidheich' a bh'againn orra, agus sinn fhìn a bhiodh pròiseil às na dreasairean a bha sin. Dhèanamaid an uairsin luingeas shealasdair – bha tòrr mòr do shealasdair, a bha fàs na b'àirde na sinn fhèin agus flùraichean mòra buidhe air agus 's ann a-measg an t-sealasdair sin a bhiodh sinn a' dèanamh nan dreasairean gu tric, agus, ma b'fhìor, taigh againn ann. Saoil cò thèid aca air long shealasdair a dhèanamh an-diugh? Bhiodh sinn a' fiachainn rèisean leò air an abhainn.

Bha mo sheanmhair gu math foighidneach ruinn mar bu trice agus cha chuimhneach leam riamh i sad thoirt dhomh ach bha dòigh eile aice air sealltainn dhuinn nan dèanamaid rudeigin nach

robh còrdadh rithe; bhiodh seanfhacal fuathasach freagarrach aice
daonnan air neo rannachd do dh'òran a dh'innseadh dhuinn nach
robh sinn 'na deagh leabhraichean.

Tha aon rann a' tighinn 'nam chuimhne a bha fìor dhùileam (gus
an tàinig beagan tùir annam) gur ann dhomh fhìn a chaidh a
dhèanamh:

> O-ho o-ho a-thath a-thath
> 'S i bhanarach Catrìona
> Mar tig an dotair gu mo char
> Cha dèan mi car gu sìorraidh
> O-ho o-ho, a-thath a-thath
> Dhèanadh tu na maragan
> 'S chan itheadh an cù ciar iad
> Bhiodh sìlean do mhin eòrna' annt'
> 'S de chlòimh na dhèanadh iarna
> O-ho o-ho, a-thath a-thath

Chan eil cuimhne agam gu dè rinn mi ceàrr an latha ud ach tha mi
làn chinnteach nach e maragan. Cha do dh'fhiach mi riamh air an
dèanamh, eadhon nuair thàinig mi gu aois, bha i fhèin cho math air
an dèanamh mar a bha i air a h-uile rud mun dachaigh.

Bhiodh an cuilean òg 's a cheann air a spògan, 'na laighe ri 'taobh
cho modhail ri uan gus an toireadh i am facal dha 's bha e 'na leum
ga freagairt gu deònach.

Bha i air an aon dòigh leis a' chrodh is na beathaichean uile; bha
foighidinn agus tuigse aice dhaibh is gach rud bhiodh ceàrr orra.
Shuidheadh i fon bhoin a bha anshocrach is thòisicheadh i air
gnòdhan òrain a ghabhail dhi is ann an ùine ghoirid bha a' bhò gu
socair a' toirt seachad a' bhainne dhi, barrachd air na bheireadh i do
neach eile.

Bha mi a' gabhail barrachd mòr do mheas oirre mar a b'aosda bha
mi fàs agus a thuig mi na chaidh i troimhe san t-saoghal agus cho

beag gearain 's a rinn i riamh. Chaidh a fàgail 'na banntraich nuair bha i air a leapa-shiùbhladh air an treasaibh pàisde – dh'eug a cèile gu grad le tinneas cridhe – is bha i nis leatha fhèin ach le triùir phàisdean beaga ri thogail, gun chuideachadh sam bith. Cha robh an saoghal idir mar a tha e nis.

Bha croit is beathaichean 's a h-uile rud eile bha co-cheangailte riutha a-nis aice ri am frithealadh agus is ann le obair a dà làimhe fhèin a dh'fheumadh i dhèanamh o nach robh duine aice nis a choisneadh airgead.

'S ann an uairsin a fhuair i a' chuibheal-shnìomh le ceithir chasan airson 's gum biodh i na bu sheasmhaiche air an ùrlar is nach cuireadh a' chlann bheag tuisleadh innte. Bha i snìomh do dhaoine eile an sin air glè bheag pàighidh agus i feuchainn ri obair na croite a chumail a' dol mar a b' fheàrr a b' urrainn dhi. Dh'eug dithis den chloinn aice leis a' ghriùthraich, a dh' aindeoin a dìchill is cha robh air fhàgail aice ach mo mhàthair.

Cluinnidh sinn mu fheadhainn a bhith dol tro ànradh san latha diugh ach gheibh iad cuideachadh bhon Stàit ach cha robh dad dhe sin ann aig an àm ud. Cha b' ann le truas dhi fhèin a bhruidhneadh i idir, na bu mhò, ach le taingealachd gu robh a' chroit aice a dh'fhàg a cèile aice agus cha do dhiùlt i riamh pìos fearainn do charaid a bha riatanach, gus buntàta a chur ann.

Bha iomadach car air a chur mar chùram oirnn a-nis a-muigh 's a-staigh, mar a bha tarrainn uisge às an tobar, ag obair air an fheur agus air a' mhòine agus bha dol againn air deagh chuideachadh thoirt seachad eadar sinn, agus bha sinn ga dhèanamh gu deònach còmhla oir rachadh againn air beagan cluich a dhèanamh aig an aon àm. Bhiodh sinn a' cluich falach-fead a-measg nan toitean arbhair nuair bhiodh sinn a' leigeil ar n-anail. Bhiomaid a' toirt sconaichean is bainne na stiùrag a-mach thun an talamhanna agus gam fàgail an àite fionnar gus an tigeadh acras na pathadh oirnn. Bha stiùrag fhuar, le sìlean salainn ann fuathasach math airson caisg a' phathaidh.

Mo mhàthair is m' athair fhìn (M' athair nuair bha e san Nèibhi aig àm a' chiad chogaidh is mo mhàthair beagan bhliadhnachan 'na dhèidh sin).

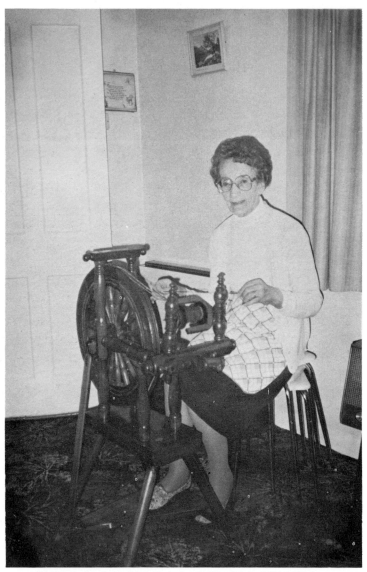

Catrìona aig a' chuibheall-shnìomh (dealbh le Màiri Ella).

An aon rud a' dol gu'n mhòine, ach bheireamaid 'picnic' leinn an sin on bhiomaid na b' fhaide air falbh bhon taigh. Bhiodh gruth is uachdar na ìm air na sconaichean agus 's iad a bha blasda còmhla ri bainne togalach. Mar a chanadh an t-seann fheadhainn "'S math an t-annlan an t-acras."

Bha e math aig àm gearradh na mòna; bhiodh aon ma-seach againn a' dol 'na pholl-mòna agus a' tilgeadh na fòidean, mar bhiodh iad air an gearradh, suas thun an fheadhainn a bha ga sgaoileadh, agus cho luath 's a b' urrainn dhuinn chuireamaid a' chiad litir aig ar n-ainm anns an fhàd bhog dhubh fiach cò bu mhò dhiù bhiodh ann. Nuair bhiodh iad tioram cha mhòr nach robh iad cho cruaidh ris a' ghual.

Nuair bhiodh m' athair aig an taigh bha againn ri dhol air astar mòr suas a' bheinn ma faigheadh e mòine a chòrdadh ris – cha robh guth air gu feumte a tarraing dhachaigh às a sin. Tha fhathasd làraichean puill-mhòna a bh' againn air taobh Beinn Heabhal – a' bheinn as àirde am Barraigh, ach bha mhòine math. 'S ann goirid don àite sin a bha creagan mòra, àrd anns an robh sinn cinnteach gu robh sìdhichean a' fuireach. Chuala sin gu leòr mun deidhinn is bha na creagan coltach ri àite am bitheadh iad. Bha a h-uile sgeulachd a chluinninn fìrinneach, 'nam bheachd-sa.

Cha teid dìochuimhn agamsa air aon latha dh'fhalbh mi fhìn agus mo mhàthair a chruinneachadh na mòna, ga cur 'na torran beaga airson 's gun tiormaicheadh i na bu luaithe 's gun an turadh ro mhath aig an àm. Bha sinn ag obair ann am bealach 's a' mhòine air a sgaoileadh air an leathad os cionn a' phuill mhòna far an robh barrachd cothrom aice air tiormachadh.

Rinn sinn tòrr math dhiubh – a' cur na fòidean an aghaidh a chèile agus fàd air an uachdar airson 's gu rachadh a' ghaoth eadar na fòidean – nuair thuirt mo mhàthair gun leigeamaid ar n-anail agus dh'fhalbh sinn a shuidhe 'n tacsa creige far na dh'fhàg sinn an grèim bìdhe a thug sinn leinn. Bha sinn gu socair an sin agus gun deò air adhar, mas cuimhneach leam, ach an ceann greise chuala

sinn fuaim iongantach agus, an iomlaid na mionaid, thàinig gaoth
chruaidh le fead troimhn bhealach; cha do mhair i ach tiota ach
chunnaic sinn na fòidean mòna ag èirigh air an cinn thar an làir agus
na torran beaga a rinn sinn air an sgapadh an siud 's an seo.

Nuair fhuair mi m' anail air ais dh'fhaighnich mi dhe m'
mhàthair ge dè idir a bh' ann agus fhreagair i gur e gaoth beithir a
bha siud agus gur e 'm fortan fhèin a rinn gu robh sinn ann a
fasgadh na creige air neo gu robh sinn cuideachd air bhith air ar
tilgeadh thairis mar bha mhòine. Sguab i leatha gach rud bha 'na
rathad a' dol troimhn bhealach.

Chan fhaca mise gaoth beithir tuilleadh 's gu dearbh cha robh
iarraidh agam oirre.

An àm an Earraich bhiomaid trang aig obair an fhearainn agus gu
tric 's e feamainn a bhite cur air an talamh. Is ann air an tràghadh a
dh'fheumadh e bhith air a ghearradh. Bha roinnean air a dhèanamh
dhen tràigh goirid don taigh ach nuair a bhiodhte a' gearradh an
todhair bliadhna às dèidh bliadhna anns an aon àite cha bhiodh a fàs
cho math air agus rachamaid tarsainn na beinne gu taobh a' chaolais
far am biodh deagh thodhar. Thairgneamaid e 'n sin suas thun an
fheòir os cionn na tràghad agus an sin rachte ga iarraidh leis an
sgoth latha eile.

Bha 'n todhar a-nis ri fheamnadh suas air a' chroit far a fàgte e 'na
thòrr gus an grodadh e mun rachadh a chur sìos air an talamh airson
na feannagan buntàta a dhèanamh.

Bha na feannagan dèante 'nan sreathan fada, caola leis an todhar
air a sgaoileadh airson 's gun toireadh e do leud dhaibh gun rachadh
ceithir slisnean buntàta, le rèis (*handspan*) eatorra tarsainn na
feannaig. Bha 'n talamh, air gach taobh, air a thionndadh thairis air
an todhar gus nach mòr nach biodh e tachairt ann a meadhan na
feannaig agus bhiodh claise a-nis eadar gach feannag às an toirte
talamh a lìonadh suas meadhan na feannaig.

Thug sibh an aire gur e slisnean buntàta a thubhairt mi. 'S ann a
chunnaic mise, bhon thàinig mi nuas a Shasann, gum biodh iad a'

cur a' bhuntàta slàn ach cha bhiodh sinne ga chur slàn mar a biodh e beag; gheàrrte am buntàta mòr 'na phìosan, a' dèanamh cinnteach gu robh 'sùil' làidir a' tighinn air adhart anns gach pìos agus bha sin a' fàs a cheart cho math is ged bhiodh buntàta slàn ann agus sàbhaladh mòr ga dhèanamh air an dòigh-sa cuideachd. Cha leig mi leas seo innse do dh'eileanach sam bith, tha fiosam, agus ghabh mise an dòigh againn fhìn an seo is bha e glè mhath ged nach e deagh thalamh buntàta tha agam idir ach talamh cruaidh crèidhe. Is e ròsaichean as fheàrr a dh'fhàsas ann.

Dhèante atharnach de na feannagan an ath bhliadhna le arbhar a chur an aite 'bhuntàta – is mar sin.

Air cho sgìth 's gum biodh mo sheanmhair dhèanadh i daonnan ùine airson sgeulachdan innse dhuinn agus tòimhseachain a chur oirnn agus chan iarrainn-sa na b' fheàrr na bhith 'g èisdeachd rithe agus tha 'bhlàth sin ann: tha cuimhne agam air gu leòr dhe na sgeulachdan sin fhathasd. Bhiodh iad mu dheidhinn a h-uile rud eadar sìdhichean, bana-bhuitsichean, maighdeannan-mara agus eadhon ròin.

Tha bàgh air taobh an ear Bharraigh ris an canar Bàgh nan Ròn agus is tric a chitheadh sinn na ròin gam blianadh fhèin air na creagan a-mach on chladach agus a chluinnte an 'ceòl' iongantach aca cuideachd. 'S e creutairean sianta a th' annta.

Is iomadh sgeul a chaidh innse mun deidhinn, gur e sluagh fo gheasaibh a bh' annta agus air uairean gum biodh iad a' tighinn gu tìr agus a' gabhail riochd dhaoine saoghalta, eadhon gam pòsadh agus teaghlaichean a bhith aca – ach daonnan thilleadh iad air ais don mhuir às an tàinig iad, a' fàgail an cèile 's an clann le cridheachan briste 'nan dèidh.

Seo rann beag a chuala mi aig mo sheanmhair –

Ochan cha bu mhise 'n ròn
Ochan cha bu mhise 'n ròn
Ochan cha bu mhise 'n ròn
Ach an curaidh làidir, treun.

Nam bithinn an tìr fo thuinn (trì uairean)
Far an gabhte suim dhe m' ghlòir
Dhìoghlainn air fear a' chùil duinn (trì uairean)
Buille 'n a' chois-chruim mu'n t-sròin.

Nuair bhiodh obair an latha seachad bu mhiann le m'mhàthair
leabhar òran (an t-*Oranaiche*) neo leabhar sgeulachd 'thoirt uice
agus sheinneadh i òran no leughadh i sgeulachd asda oir bha i math
air a' Ghàidhlig agus bha meas mòr aice air na deagh leabhraichean
a cheannaich mo bhràithrean dhi mar bha 'Clàrsach an Doire' agus
'Sàr Obair nam Bàrd'. Chan eil e iongantach gu bheil an aon mheas
agamsa orra cuideachd. Cheannaich mi 'Clàrsach an Doire' dhomh
fhìn agus, mu dhà bhliadhna air ais, thàinig nighean mo pheathar,
Heather, thugam le leabhar a cheannaich i dhomh ann a Norwich,
far eil i fhèin a' fuireach, agus gu dè leabhar a bh' ann ach 'Sàr
Obair nam Bàrd Gaelach' (sgriobh mi e mar tha 'n t-ainm air) a
thàinig a-mach anns a' bhliadhna 1904. Is gann gun creidinn mo
shùilean! Cha do thuig Heather cho prìseil 's a bha 'n leabhar-sa
agam – chan eil a' Ghàidhlig aice fhèin idir – ach tha i daonnan cho
coibhneil rium a' coimhead airson leabhraichean sam bith mun
Ghaidhealtachd dhomh. Fhuair i feadhainn eile dhomh roimhe seo
ach 's e am fear-sa a neamhnaid 'nam measg uile. Nuair dh'innis mi
dhi gum biodh a seanmhair fhèin a' leughadh an aon seòrsa leabhair
bha i cho toilichte gun d' fhuair i dhomh e.

4. Deireadh a' Chogaidh

Thàinig deireadh a' Chogaidh an ceann cheithir bliadhna de bhristeadh-cridhe do gu leòr ach càite nis a robh ghlòir a bha ri tighinn leis a' bhuannachd? Mo thruaighe! Nuair thill na gaisgich – na bha air fhàgail dhiù (bha mòran dhiù nach tilleadh gu bràth dhe na fir òga, chalma a dh'fhalbh cho deònach a shabaid airson a Rìgh 's an dùthchadh) – cha robh feitheamh orra ach an truas 's an easbhaidh, gun obair, gun airgead gun chothrom air beò-shlainte a dhèanamh air dhòigh sam bith. Cha robh feum aig an Dùthaich tuilleadh orra!

An t-iasgach a b' àbhaist bhith ann gus obair a thoirt dhaibh chaidh crìoch air cuideachd air tàilleabh a' chogaidh a thug air falbh na h-iasgairean às na h-eileanan. Cha robh ciùrairean a-nis a' tighinn idir 's bha na bàtaichean iasgaich, 's na lìn bha 'na laighe suas a-nis air grodadh, gun fheum. Dh' fheumte airgead mòr gus an cur ann an dòigh obrach a-rithist. Ged a fhuair na h-iasgairean beagan airgid bhon Riaghaltas airson seo cha robh leth gu leòr ann airson na bha feum air.

Dh'fhan mo bhràthair a b' òige aig muir ach chaidh a' fear a b' aosda dh' obair don 'Ghàrradh iarainn' (mar a theireadh iad) far an robh na bàtaichean mòra gan togail.

Bha iad, le chèile, cho math don dachaigh 's a b' urrainn dhaibh ach cha robh am pàigheadh ach beag is bha sianar againn fhathasd a-staigh. Thòisich m' athair air càradh na lìon agus dh' ionnsaich e dhòmhsa an càradh cuideachd ged nach rachadh agam air na tuill

25

mhòra a chàradh riamh mar a dhèanadh e fhèin – chuireadh e pìosan eile de lìon anns na tuill cho ealanta agus cho grinn – ach bha mi toirt cuideachadh dhà agus bu toil leam a bhith 'g obair còmhla ris agus a bhith 'g èisdeachd ris nuair bhiodh e ag innse mun chogadh is na h-àitichean san robh e. Bha e math air innse na naidheachdan, gun dìochuimhn' air mion-chùnntas sam bith dhe na thachair dhà aig an àm sin. 'S ann an 'Trawler section' aig a Nèibhi a bha e agus bha e ann a Malta agus na Dardanells – air Mine Sweeper. Nach beag fios a bh' agam air a' chunnart san robh e.

Bha e 'g ràdh gur e daoine fuathasach ciatach a bh' ann a muinntir Mhalta agus gaisgeil a bharrachd. Chaidh iad tro chruaidh-chàs mòr. 'S e duine cuideachdail a bh' ann agus bhiodh e toilichte nuair a thigeadh feadhainn air chèilidh 's a bhiodh iad a' còmhradh mun iasgach 's a h-uile rud mar sin. Bhiodh cuimhne aca eadhon air dè 'n taobh bha ghaoth air na làithean sònraichte sin.

Bha am bàta iasgaich a-nis air a càradh agus deiseil airson a cur a-mach ach bha greis mhòr fhathast mun do thog an t-iasgach suas a-rithist. Ach bha m' athair a-nis aig an taigh airson obair na croite agus cha robh an gnothach cho cruaidh air mo mhàthair. Bu mhath sin!

Cha robh obair sam bith ann a gheibheadh na daoine. Cha toireadh na croitean teachd-an-tìr dhaibh leò fhèin is bha gu leòr air fìor dhroch càradh, gu h-àraid feadhainn aig an robh teaghlaichean òg, lag. Cha robh cuideachadh sam bith aig a stàit ga thoirt seachad is cha robh iomradh tuilleadh air na 'gaisgich a choisinn an t-sìth'! Bha iad air an clisgeadh na feumadh aon aca an dotair thighinn thuca oir dh'fheumte esan a phàigheadh 's cha robh dòigh air sin a dhèanamh, ma dh'fhaoite. Tha e doirbh a chreidsinn an-diugh mar bha cor nan daoine.

Cha robh iongnadh ann gu robh na h-uiread de dhaoine òg a' bàsachadh leis a' chaitheamh aig an àm – bochdainn nach cluinn sinn ach ainneamh mu dheidhinn a-nis.

Is e tha cur na smaointinn orm nuair chluinneas mi nis gur e bhochdainn is cion obair fhaighinn tha toirt air òigridh bhith tionndadh ri drochbheirt, a bhith gabhail drogachan (càite faigh iad airgead airson sin?) is a leithid sin a bhios a' cur gaoir troimh m' fheòil ga chluinntinn. Nach neònach nach robh an òigridh a bh' ann rompa ga dhèanamh agus tha gu leòr dhen òigridh an-diugh cuideachd nach gabhadh na chunnaic iad riamh is iad fhèin a ghiùlain anns an dòigh-sa. Tha na trustair a' cur nàire air an òigridh tha fiachainn ri iad fhèin a thoirt roimhn t-saoghal gu h-onarach. 'S iomadh rud feumail a rachadh aca air a dhèanamh gu a mathas fhèin agus mathas an t-sluaigh nan togradh iad, seach a bhith mèilich cho dona 's a tha iadsan.

Chaidh mo bhràthair a bha 'g obair sa' Ghàrradh-iarainn a ghoirteachadh gu dona le sgiorradh a thachair nuair thuit an còmhnard-àrd air an robh e fhèin agus fear eile 'na seasamh is iad ag obair. Chaidh am fear a bha còmhla ris a mharbhadh. Nuair a fhuair mo bhràthair dhachaigh bha e fhathast gu math tinn oir bha goirteas an taobh a-staigh aige bharrachd air an taobh a-muigh ach bha fios aig mo sheanmhair ciod a dhèanadh feum. Bha i dèanamh brot le feanntagan dha a bharrachd air leigheas nan lus a bh' aice agus cha robh e fada gus na thog e air. Is coltach gu bheil an fheanntag òg anabarrach math don stamaic. 'S e am bàrr beag a bhiodh ise cur sa' bhrot ach dh'fhalbh mo bhràthair aon latha gam buain 's e fiachainn ri cuideachadh ach cha tug e fa-near gu dè 'n seòrsa bu chòir dha bhuain agus thug e dhachaigh an fheanntag mhòr, loisgeach. Cha robh e fada gus an d' fhuair e fios gun d' rinn e mearachd.

Bha mo làithean-sgoil-se dol air adhart gun tachartas ach mar b' àbhaist ach bidh mi smaointinn a-nis air cho beag tuigsinn 's a bha againn air a' chogadh ged bha sinn a' cluinntinn na h-uiread mu dheidhinn aig an àm. 'S ann bhios clann air saoghal dhaibh fhèin gu bith ciod e thachras.

Thàinig aon dhe na gunnachan mòra, chaidh thoirt bho na Gearmailtich, do dh' eilean Bharraigh an dèidh a' chogaidh agus is ann air Cnoc-na-fèille, am Bàgh a' Chaisteil, a chuireadh e airson 's gum biodh e nochdaichte don h-uile duine. Is e iongnadh mòr a bh' ann dhuinne is rachamaid nar ruith thuige a h-uile comas a gheobhamaid, oir bha e dlùth air an sgoil.

Bha sinn a' gabhail iongantas mun t-suidheachan eile bh' air a' ghunna ach fhreagair nighean, a bha beagan na b' aosda na mi fhèin, "Tha fios agamsa" thuirt ise gu neochiontach, "'s i nighean bheag an Oifigich a bhiodh còmhla ris an sin". Chreid gach aon againn i. Nach beag tuigsinn a bh' againn gu dè 'n ùsaid ghrànnda gus an robh iad a' cur a neònachais a bha ma 'r coinneamh.

Ach bha aon bhuannachd againn nach eil aig cloinn an-diugh, fhuair sinn a neochiontas, a tha còir aig cloinn air, a chumail. Cha robh eagal againn ro neach sam bith, cha leigeamaid a leas e on cha bheanadh duine dhuinn le droch-bheairt co be àite 'n rachamaid is mar toireadh ar màthair sad dhuinn neo gu faigheamaid stràc san sgoil bha sinn sàbhailte gu leòr.

Ann a 1923 dh' fhalbh gu leòr eile de dh' eilthirich do Chanada às na h-eileanan ach cha b' ann air a sgiùrsadh air falbh a bha iad idir an turas seo. Is e nach robh cothrom aig na daoine air cosnadh fhaighinn an dèidh a' chogaidh. Cha robh iasgach na rud eile ann a-nis a bheireadh teachd-an-tìr dhaibh, is bha iad cho ìosal 'nan suidheachadh 's a ghabhadh e bhith nuair a chualas gu robh Riaghaltas Chanada ag iarraidh theaghlaichean a thighinn thuca is gum faigheadh iad deagh obair, dachaighean is fearann ann. Thàinig fir ionaid a dh' earalachadh dhaibh an cothrom a ghabhail is gur ann gu 'm math fhèin a bha 'n tairgse.

Cha b' urrainn dhaibh àm na b' fheàrr a thaghadh. Cha b'e ruith ach leum leis na daoine gu falbh a chur an ainmeannan sìos airson a' chothrom mhath a bha 'n seo fhaighinn.

Smaointich mo phàrantan fhèin gur e deagh rud a bhiodh ann dhaibh-san cuideachd ach cha b' urrainn dhaibh mo sheanmhair fhàgail leatha fhèin agus leigeadh seachad a smaointinn gu grad. Bu duilich a bha sinn air a' chidhe an latha dh'fhalbh iad, a' faicinn ar càirdean is luchd-eòlais a' seòladh air falbh gun dùil rim faicinn tuilleadh.

Bha mo shean charaid, Dòmhnull MacFhionghuin, ann, a' faicinn a bhràthair le theaghlach a' falbh bhuaithe is e nis air fhàgail leis fhèin agus rinn e òran muladach a' caoidh nan càirdean a dh'fhalbh. Tha 'n t-òran brèagha sin agam ann a leabhar òran a fhuair mi agus bidh mi cuimhneachadh air an duine chòir, choibhneil e fhèin a bhiodh ag innse sgeulachdan dhomh cuideachd. Ach, mar a thachair a' chiad uair bha na gealltanais meallta. Cha robh idir na dachaighean no 'm fearann a' feitheamh orra. 'S ann a chaidh an cur a-mach gu tuathanaich eile.

Thill cuid dhiubh air ais – an fheadhainn a bha cothrom aca sin a dhèanamh – ach bha cuid eile, le teaghlaichean òga nach robh comas aca air tilleadh is b'fheudar dhaibh-san fanail agus, rè nam bliadhnachan, rinn iadsan gu math nuair dh'fhàs a' chlann suas 's a fhuair iad dreuchd dhaibh fhèin – ach tha mi cinnteach gu robh cridheachan goirte aig an fheadhainn a bha car aosda nuair chunnaic iad mar bhà is nach b'urrainn dhaibh tilleadh. Bha ar nàbaidhean fhèin air feadhainn dhiù.

Ach thill gu leòr den òigridh air chuairt gu eilean an àraich agus rinneadh toileachadh mòr riutha. Chunnaic iadsan a-nis an t-atharrachadh a thàinig air dòigh-beatha nan eileanach seach mar bha e às dèidh a' chiad chogaidh – ged a chaidh iadsan cuideachd troimh gu leòr de chruaidh-chàs 's de bhochdainn mun do thionndaidh a' chuibhle dhaibh, mar a dh' innseas mi nis.

Thòisicheadh air leasachadh a rathaid-mhòir airson obair bheag air choreigin a thoirt do na fir. B'e sin an obair! Thòisich m' athair aige agus is ann a' briseadh chloiche a bha iad airson na h-obrach seo. 'S e obair dhoirbh a bh' ann agus cha robh am pàigheadh ach truagh, ach b' fheàrr e na bhith falamh uile agus chùm e air gu dìcheallach gus an deachaidh spealg cloich bhon òrd 'na shùil agus na dhall e 'n t-sùil aige, le cràdh mòr cuideachd – is math tha cuimhne agam! Cha robh àrach air is cha robh idir cuidhteachadh ann mar a gheibh daoine nis nuair thèid an goirteachadh aig an obair.

Bha mi aona-bliadhn'-deug nuair chaidh an teaghlach againn don taigh ùr a bhatar a' dol a thogail mun do thòisich an cogadh ach a b' fheudar fhàgail gu ceithir bliadhna 'n dèidh a' chogaidh. Bha taigh mo sheanmhar ro bheag buileach 's sinn a' fàs suas. Thàinig ise còmhla ruinn don taigh ùr ach cha robh e idir a' còrdadh rithe an toiseach – bha e ro fhuar leatha an dèis blàths an taighe thughaidh.

Bha 'n taigh tughaidh cofhurtail ach bidh mi smaointinn gu tric ciamar idir a thoill ochdar againn ann agus, ar leam, gu robh e mòr gu leòr aig an àm.

Bha meudachd ann ach cha robh ann ach an dà sheòmar agus àite eatorra anns am biodhte gleidheil a h-uile seòrsa – bho sguab an ùrlair gu putaichean lìon. Ann an uachdar an taighe bha leapa mhòr agus mullach oirre, a ghabhadh gu leòr a ghleidheadh air mar bha lìn 's a leithid sin. Bha i làidir air a dèanamh airson seo agus bha cùrtairean ris an aghaidh aice. Bhiodh cuibhrige brèagha do dh' iomadh dath oirre a fhuaras às a' mhuileann. Bha ceann na leapa ri cùl an taighe agus an cùlaibh aice an tacsa a' chailbhe bha eadar an cidsean agus a' chùil a bha sa' mheadhain.

Bha bòrd beag ri taobh na leapa agus bha 'n sin an dreasair le soithichean snoga flùrach – gu h-àraid sreath de bhòbhlaichean beaga nach eil idir ri fhaighinn a-nis. Bha dà dhrabhair agus dà phreas air. Air taobh eile 'n dreasair bha bocsa, neo furm, air an robh na bucaidean de dh' uisge glan às an tobar, le mullach fiodha air gach aon. Bha uinneag bheag air cùl an taighe. Ri taobh an uisge – ri ceann an taighe bha am bòrd bidhe agus furm mòr ri taobh an teine. Bha àite teine mòr an ceann an taighe le teine àlainn mòna agus slabhraidh os a chionn air am biodh an coire no poit thrì-chasach mu seach. Is iomadh buntàta agus brisgean a chaidh a ròstadh anns a' ghrìosaich aige rim chiad chuimhne. Bhiodh sinn a' faighinn nam brisgeanan aig àm cur a' bhuntàta agus bha iad blasda cuideachd.

'S e poitean iarainn is friochdan agus greideil thiugh iarainn a dh' fheumte airson an teine fhosgailte gus am biadh a chumail gun losgadh. Cha dèanadh na poitean tha againn an-diugh feum. Cha robh àmhainn idir againn ach bhite dèanamh breacagan de dh' aran-flùir, coirce agus innseanach air a' ghreideil – an coirce air a dhèanamh tana agus ga chur ri aghaidh an teine airson crìochnachadh na bruich – agus dhèanadh mo sheanmhair bonnaich mhòra mhath le uighean is siùcar annta air an fhriochdan agus duff (ann a sgòd) 's e làn rèasaidean anns a' phoit thrì-chasach.

Ri aghaidh an taighe bha beinge fiodha fon uinneig agus aig taobh an teine dhi bha na bollachan mine, gan cumail tioram is brat aodaich thairis orra. Cha b'ann am pacaidean beaga a gheobhte a' mhin aig an àm ud idir ach ann a leth-bholla, bolla neo air a thomhas 'na chlachan neo leth-chlachan. Mas cuimhneach leam bhiodh bolla flùir, leth-bholla coirce agus clach innseanach ga cheannach. Cha robh leithid de rud ann ri flùr le rud a dh'atadh i innte, dh'fheumte sòda-arain is cream a' tartair a chur innte ga fuine.

Aig ceann eile na beinge bha ciste mhòr le seotal innte airson phàipearan sònraichte is bha fios againn nach robh againn ri dhol 'na còir. Bhiodh an t-aodach math aig an teaghlach innte cuideachd ach bha dà chiste eile sa' cheann shìos anns an robh na plaideachan is an t-aodach eile nach robh cho cùramach. Cha robh preasaichean aodaich idir sna taighean tughaidh is 's e na cisteachan a bha gabhail an àite. Co-dhiù cha robh torran aodaich aig na daoine cumanta aig an àm ud mar tha againn an-diugh.

'S e bheinge leapa mo pheathar nuair thigeadh an oidhche agus uaireannan feadh an là nuair nach biodh i gu math – mar a thubhairt mi bha i dona leis a' chuinge. Bhiodh babhstair clòimhe air a chur air a' bheinge 's bha e gu math cofhurtail.

Anns an taigh ùr bha gu leòr de ghnothaichean nach robh idir san t-seann fhear. Bha m' athair is mo bhràthair, a bh' aig an taigh daonnan a-nis ('s e posta bh' ann) math air saoirsneachd agus aon uair 's gun d' fhuair iad slige an taighe suas, rinn iad fhèin an còrr. Lìnigich iad e air fad is chuir iad an staidhre ann 's a h-uile rud ach 's e mo bhràthair a rinn an obair ghrinn mar bha dreasair brèagha, le glainne air an aghaidh far robh na soithichean, taobh-chlàir is preasaichean aodaich air a suidheachadh a-staigh 's a h-uile rud den t-seòrsa sin. Bha làmh fuathasach grinn aige is bha tlachd air a h-uile rud a dhèanadh e, eadar sgrìobhadh (*copper-plate*), cur ainm air bùird 's air bàtaichean, bùithean is a h-uile rud mar sin.

'S e fear-ciùil math a bh' ann cuideachd is bhite ga iarraidh gus cluich aig dannsaichean is cèilidhean daonnan. 'S e bocsa-ciùil bu trice bhiodh aige sna dannsaichean ach bhiodh an fhidheall aige sna cèilidhean agus bha e, fad iomadach bliadhna, a' cluich an òrgan anns an eaglais. Is iomadh caileag bheag, a bharrachd, a dh' ionnsaich dannsaichean Gaidhealach ri ceòl Nèill. Bha e toirt toileachadh mòr dha oir b'e ceòl a mhiann 's a shòlas.

Tha 'm bocsa-ciùil aige nis aig mo mhac, Alasdair, a tha glè choltach ris a thaobh ciùil is dòighealachd agus tha 'm bocsa-ciùil measail aige.

Bha gnothaichean air tighinn na b' fheàrr, mu dheireadh, a-nis, is bha m' athair air ais aig an iasgach – ged nach robh aige ach fradharc na h-aon sùil cha do chùm sin air ais e.

Bha mo phiuthar a b' aosda air an sgoil fhàgail agus air cosnadh beag fhaighinn. Bhiodh an ath tè a' fàgail an ceann bliadhna eile. Bha iad, le chèile, math san sgoil, mar bha mo dhithis bhràithrean, ach cha robh cothrom air an cumail san sgoil, mar bha tachairt don mhòr chuid a bh' anns an eilean aig an àm.

Bha mise toilichte san sgoil agus dìcheallach air a h-uile rud ionnsachadh ach 's e sgrìobhadh aon dhe na rudan a b' fheàrr leam. Dhèanainn suas òraidean air gnothaichean a bhiomaid a' leughadh mu dheidhinn agus bhiodh iad a' còrdadh ris an fheadhainn a bha gam theagasg.

Nuair ràinig mi na clasaichean àrda fhuair mi Laideann agus Gàidhlig còmhla ris a' Bheurla. Bha mi dèidheil air cànainean uile ionnsachadh ach 's e b' fheàrr leam air fad, a' Ghaidhlig agus cha b' urrainn dhomh na b' fheàrr bhith gam ionnsachadh na bhean-teagaisg a bh' agam, Anna Nic Iain, a tha h-ainm miosail aig luchd na Gàidhlig uile. Bha i fhèin agus mo mhàthair càirdeach.

Tha nis a' chlann aig piuthar Anna (a bha i fhèin fìor mhath air a' Ghàidhlig) a' cumail suas an tradisean gu math le bhith cumail cànain agus ceòl nan Gaidheal an àird – agus is ann dhaibh fhèin as aithne sin!

Eadar ath-sgeul: Tha mi leughadh anns na pàipearan-naidheachd gu bheil Oighre a' Chrùin fhèin a-nis a' gabhail ùidh sa' Ghàidhlig, nach eil sin math!

Tha aon eile à Barraigh is làn airidh air ainmeachadh, is e sin Dòmhnall Mac na Ceàrdadh a bha 'na bhàrd ainmeil Gàidhlig agus 'na sgrìobhaiche dhealbh-chluichean – tha aon dhiù sin aig mo làimh an dràsd, 'Suiridhe Raoghail Mhaoil' agus thig feadhainn eile 'nam chuimhne, mar tha 'Dòmhnall nan Trioblaid', 'Am Fear a chaill a' Ghàidhlig' is 'Ruaireachan'. Is e 'Long nan Og' an t-ainm a bh'air an dealbh-chluich-sa nuair thàinig e mach ged is e Ruair-achan tha aca air a-nis. Chunnaic mi iadsan air an actadh anns an talla bheag bhìodach iarainn a bha nuair-sin am Bàgh a' Chaisteil.

Chì mi ann am pàipear-naidheachd an Obain gu bheil dràma Ghàidhlig air ath-nuadhachadh anns a' Ghaidhealtachd. Nuair bha mise òg bha dràma Ghàidhlig gu math beò agus làidir anns an eilean bheag againn fhìn. Is iomadh oidhche gheamhraidh a chuir mi seachad gu toilichte anns an talla bheag a' coimhead dealbh-chluich ga chur air adhart agus gu dearbh, b' fhiach iad pàigheadh airson am faicinn. Rachadh iad, air deifir oidhcheannan, bho thalla gu talla san eilean airson cothrom a thoirt don h-uile aon am faicinn.

Bha mo dhithis pheathraichean a-measg na feadhna bh' annta agus tha dealbh agam den chòmhlan a bh' ann aig aon dhe na dealbh-chluichean a bh' aca – 'Am fear a chaill a' Ghàidhlig'. 'S e fìor dheagh rud a bh' ann airson òigridh an eilein. Bha iad a' faighinn ionnsachadh feumail anns a' Ghàidhlig agus a' dèanamh fearas-chuideachd airson an còrr den t-sluagh nach robh mòran eile aca anns na h-oidhcheannan geamhraidh, a bharrachd.

Is e Anna, piuthar Dhòmhnaill, a bha toirt stiùradh do na feadhainn a bh'anns a' chluich 'Am fear a chaill a' Ghàidhlig', agus a bhràthair, Niall, a bha e fhèin 'na mhaighstir–sgoile, a thug stiùradh don chloinn às an sgoil aige fhèin sa' Bhàgh a Tuath a bh' anns an dealbh-chluich, 'Long nan Og'.

Cha robh 'n siud ach pàirt bheag do dh' obair Dhòmhnaill. Thòisich e air dèanamh nan òran nuair nach robh e ach 'na bhalach òg – agus is ann dha bu dual oir is e bàrd a bha 'na sheanair (mo shìn-seanair fhèin, oir 's e mo mhàthair agus Dòmhnall clann an dà pheathar) ach bha tàlannan sònraichte aig Dòmhnall a bha ga chur air leth. 'S e cuideachd bràthair-athar dha bh' ann am Pàdraig Mòr mac na Ceàrdadh, an duine bu mhotha bha riamh am Barraigh. Bha e còrr air seachd troighean a dh' àird, agus bha sin aig àm nach robh daoine idir cho mòr 's a tha iad an-diugh. Nach robh e iongantach cuideachd gu robh e cho beag nuair a rugadh e is gur ann am peàrda clòimhe a chaidh a chur. Cha chuala mi siud idir aig mo sheanmhair (b'e ise a phiuthar-chèile) is ann a leugh mi e ann am pàipear-naidheachd bho chionn bhliadhnachan air ais.

Tha cuimhne agamsa air Pàdraig, bha e còir, coibhneil is bha meas mòr agam air. Cha robh mi ach còig bliadhna dh' aois nuair a dh'eug e leis a flù is bha mi ga chaoidh. Bha mi cho gòrach agus gun robh mi smaointinn nan gabhainn m' ùrnaigh gu dùrachdach ma dh' fhaoite gun tilleadh e air ais. Tha cuimhne agam a bhith 'nam sheasamh air cnocan beag an cùl an taighe aca, leam fhìn is mo chridhe gu briseadh. Is ann leis a flù a dh'eug mo sheanair cuideachd, mun aon àm. Thug an galair dona bh' ann leis tòrr dhen t-seann fheadhainn a' bhliadhna ud.

Nuair a ràinig mi an clas mu dheireadh ann a sgoil Bhàigh-a-Chaisteil bha fiosam gur e seo cho fad's a bha mi dol is bha duilicheas orm oir dh' iarrainn dol air adhart ach cha robh comas aig mo phàrantan air sin thoirt dhomh is bha mi nis leagte ris a sin,

An dealbh-chluich 'Am fear a chaill a' Ghàidhlig'. Bhon taobh chlì: Anna Nic na Ceàrdadh (piuthar Dhòmhnaill), triùir nighean air chèilidh anns an taigh (Màiri mo phiuthar fhìn, Màiri Flòraidh NicFhionghuin, Mòrag NicAmhlaigh – Mòr Bhàn), Anna mo phiuthar (bean an taighe), Calum MacAmhlaigh (bràthair Mòraig) 'Am fear a chaill a' Ghàidhlig'. B'e Niall Caimbeul fear an taighe (Niall a' Mheit) ach cha robh e san dealbh a thogadh taobh muigh taigh Anna.

A' sealltainn an t-seann talla air an robh mi eòlach.

mar bha gu leòr dhe m' leithidean aig an àm. Cha robh mi ach beag aig trì bliadhn' deug ach bha 'n fheadhainn a bha còmhla rium na b' aosda na mi. Bhiodh an gille bh' air an treasda air mo bheulaibh a' magadh orm on bha mi cho beag, is e 'g èigheach ainmeannan dhomh ach bha esan còrr is trì bliadhna na b' aosda na mi. Bha mi cho sianta is nach b' urrainn dhomh a fhreagairt. Chaidh e daonnan a chur annainn gu feumadh sinn a bhith modhail is gun bruidhinn air ais is cha robh facal agam dhan trustar, is mar a h-uile aon dhe sheòrsa bha sin a' toirt misnich dha. Bha mi ga shaoiltinn suarach tuilleadh 'na dhèidh sin, eadhon nuair dh' fhàs mi suas cha dùraiginn bruidhinn ris. 'Na aghaidh sin bha fear eile 'na shuidhe ri thaobh nach tuirt facal mì-mhodhail rium riamh – na ri neach eile. Thàinig e à deagh dhachaigh is sheall e sin! Chaidh innse dhuinn gum faigheadh an fheadhainn bhiodh macanta oighreachd na talamhainn ach dh' ionnsaich mi nach eil sin fìor idir – is ann a gheibh iad saltrachdainn orra 'na àite sin. Fhuair mi leasan ann an eadar-dhealachadh!

Dh'fhàg mi an sgoil mun robh mi ceithir bliadhn deug is feumaidh mi ràdh gun robh mo shùil 'nam dhèidh. Cha bhiodh m' fhear-pianaidh a' tilleadh, bha esan a' dol air adhart gu àrd-sgoil – ach fhuair mi obair bheag sa' mhionaid, a' cuideachadh coimhead às dèidh pàisde mu naoi mìosan a dh' aois fad 's a bhiodh a mhàthair a-muigh ag obair aig a' chutadh. Gheobhainn deich tastain sa' mhìos mar phàigheadh. Cha b'e obair bheag a bh' ann, bha mi dèanamh obair an taighe agus a' fuine còmhla ri coimhead às dèidh a' phàisde on bhiodh am boireannach cho sgìth nuair thigeadh i dhachaigh. Bha feum aice gun do dh' ionnsaich mo sheanmhair mi air na caran a dhèanamh gu math – agus fhuair mi leth chrùn a bharrachd 'nam thuarasdal!

'S e bu duilghe dhomh bhith togail a' phàisde, bha e trom air mo ghàirdeanan is gun mi ach lag fhathasd.

Ach thug mo mhàthair dhomh cead a dhol dom chiad dhannsa 's bha mi air mo dhòigh a' falbh ann còmhla ri m' phiuthair, Màiri, 's e ise rinn an dreas dhomh cuideachd air a shon.

Nuair a bha an sèasan iasgaich seachad fhuair mise ma sgaoil is bha mi taingeil: ged bha 'm pàisde glè laghach is gach aon coibhneil rium bha mi sgìth a-nis.

Cha deach mi dh' obair a dh' àite sam bith eile fad na bliadhna sin ach gheibhinn pailteas ri dhèanamh a-staigh againn fhìn. Bha maistreadh an uachdair gus ìm a dhèanamh, gruth ri dheasachadh, fuine – às gach seòrsa, oir bha àmhainn agam airson sin a-nis – agus a h-uile rud mar sin. Is iomadh mulachag ime a rinn mi nuair dh' fhàs mi suas ach bha aon seòrsa nach robh iarraidh agam idir air agus b'e sin 'ìm èiginn', mar theirte ris. Bha e ri bhith air a shailleadh gu math airson 's gun cumadh e agus bhatar an sin ga chur seachad gus am biodh am bainne gann. Bheirte mach an sin e agus bha 'm fàileadh a bha dheth gu leòr leamsa, cha bhlaisinn air ged a gheobhainn pàigheadh. Ach bha e còrdadh ri cuid dhen teaghlach. Bu toigh leam an gruth ge-tà. Cha bhithinn ga theasachadh ro mhòr idir ach dìreach gus am biodh an gruth 's am meug dealaichte – nan teasaichte ro mhòr e dh' fhàsadh e ruighinn 's cha bhiodh e idir cho math. Chuirinn an sin e ann an anart tana, a' leigeadh am meug troimhe agus nuair dhrùidheadh e chuirinn ann am bòbhla mòr e agus, le crathadh salainn agus spàineag uachdair, neo cnap beag de dh' ìm ùr ann, mheasgainn gu math e agus dhèanainn mulachag air. An ath latha ghabhadh e gearradh 'na shlisnean àlainn is cha robh 'cottage cheese' riamh cho math ris.

'S e bainne geur, an dèis an t-uachdar thoirt dheth, a bhite dèanamh a' ghruth leis ach bha càise deifireach. B' fheàrr leam an gruth ged nach robh fiosam gur e b' fheàrr dhomh co-dhiù – bho nach robh uiread de 'chalories' ann. Cha chuala sinne iomradh riamh air a leithid de rud ri 'calories' is 'colesterol' aig an àm ud. Ma dh' fhaoite gu robh e cho math!

Dh' ionnsaich m' athair dhomh brògan a chàradh cuideachd agus dh' fhàs mi glè mhath air a sin. Rachadh agam air fuaghal le èill a bharrachd air buinn is sàiltean a chur orra. Bha e fhèin math air càradh nam bròg. Dh'fheumadh daoine ionnsachadh a h-uile rud a dhèanamh mun cuairt air an dachaigh agus gu h-àraid feadhainn a bha fuireach ann an eilean beag mar bha esan, a bha fios aca nach fhaigheadh iad falbh is tighinn mar a thogradh iad ri droch shìde. "'S i 'n èiginn màthair an tionnsgaill", their iad. 'S ann le leathar a bha brògan air an dèanamh air fad aig an àm ud, chan ann mar tha 'n-diugh, tha h-uile seòrsa annta is cha bu mhath leam fiachainn rin càradh. Rachainn don bhùth is gheobhainn pìos leathair mar bha dhìth orm, tana neo tiugh. Bhiodh pìosan mòra leathair anns a' bhùth is gheàrrte e mar bha feum air. Bhogainn an leathar ann an uisge airson fhàgail subailte is an sin bhuailinn gu math e leis an òrd air ceap-bhròg mun cuirinn gu feum e. Rachadh na pinneachan ann na b' fhasa a-nis.

Rinn mo bhràthair bocsa dhomh, leis a h-uile inneal ann a chuirinn feum air, agus is iomadh paidhir bhròg a chàirich mi, gu h-àraid nuair a fhuair mi dachaigh dhomh fhìn 's a bha 'chlann beag an àm an dàrna cogaidh 's 'na dhèidh. Tha 'm bocsa sin agamsa fhathasd ged tha cuid dhe na h-innealan a bh' ann air chall a-nis.

An ath bhliadhna rinn mi suas m' inntinn gum faighinn obair na bu bhuannachdaile na bh' agam an uraidh agus bho nach robh ann ach obair an iasgaich – an cutadh mar a theireamaid – rinn mi fhìn agus dithis nighean eile suas criù airson an ath shèasain aig a sgadan. Fhuair sin ciùrair a bha deònach ar gabhail nar 'cuibhlearan' agus fhuair sin eàrnais bheag bhuaithe. Thog sinn oirnn don bhùth leis an sin agus cheannaich sinn còtaichean oilisgin agus bòtainnean. Bha againn fhìn ris a h-uile rud dhen t-seòrsa sin a cheannach.

Bha sinn a-nis deiseil airson ar n-obrach – ar leinn fhìn. 'S beag fios a bh' againn gu robh gu leòr fhathast againn ri ionnsachadh mum biodh sinn deiseil.

5.   Cutadh an Sgadain

Bha fadachd oirnn gus an tòisicheadh an t-iasgach. Bha nis bàtaichean bhon chosta 'n ear a' tighinn airson an iasgaich a h-uile samhradh còmhla ris an fheadhainn againn fhìn oir bha sgadan an taobh an iar na bu mhò na bha e san ear agus bha ainm aig sgadan Bharraigh air bhith cho math 's a bha ri fhaighinn.

'S e sealladh brèagha bh' ann gam faicinn a' tighinn a-staigh am bàgh, cuid dhiubh fo sheòl agus cuid eile le motair. Dh' aithnichinn bàta m' athar a-measg nam bàtaichean sheòl mum faicinn an dath aice idir oir bha 'n crann aice os cionn chàich.

Bha chuid mhòr aca dol dìreach thun a' chidhe mhòir far am biodh an sgadan ga reic an 'Taigh a' Bhèl', mar a theirte ris, ach bha feadhainn eile a' dol gu cidheannan chiùrairean a bha aondachd aca ris na h-iasgairean roimh-làimh (dol private mar a chanadh iad) gun ceannaicheadh iad an sgadan aca fad an t-sèasain. 'S e bàta m' athar aon dhiubh sin – bha seo na b' fheàrr dhaibh bho nach robh motair innte agus bhiodh uaireannan a thigeadh iad a-staigh anmoch, air rèir mar a bhiodh a' ghaoth; nam biodh i ro shocair dh' fheumadh iad tionndadh ris na ràimh throma gus a faighinn a-staigh agus nam biodh tòrr sgadain ann an latha sin ma dh'fhaoite gum biodh gu leòr aig na ciùrairean air a cheannach mun tigeadh iadsan a-staigh. Mar a biodh iad 'private' chan fhaigheadh iad ach prìs bheag, neo na bu mhiosa na sin ma dh' fhaoite gun 'castadh' iad air fad e 's gu feumadh iad a thilgeadh air ais don mhuir às an tàinig e! 'S e briseadh cridhe bha sin do na daoine bochd a shaothraich fad na h-

38

oidhche gu dìcheallach air a shon. Nach cuir sin smaointinn oirnn an-diugh nuair chì sinn a' phrìs tha 'n t-iasg? 'S ann tha e mar gum biodh breitheanas! Thilgeadh gun diù an toirbheartas a bhatar a' faighinn is a-nis, às dèidh cogaidh eile, tha ganntachd is truailleachd; creutairean na mara 's na talmhainn air am puinnseanachadh le cion-sùim agus le sannt dhaoine. Is innsidh iad dhuinn gur e seo adhartas 's gur sinn bu chòir bhith taingeil! Tha sin ann adhartas aig daoine tha dèanamh an dìchill airson mathas an t-sluaigh ach tha e air a mhilleadh leis an t-salachar a thatar a' leigeil mar sgaoil feadh an t-saoghail. Tha truas is bochdainnean ann nach cualas riamh reimhid.

Aig an àm ud nam biodh briseadh neo meang sam bith san sgadan cha robh e ri chur ann am barailte agus dh' fhaodamaid a thoirt dhachaigh airson ar feum fhèin. Leis a sin, rè an t-sèasain rachadh againn air sgadan a shailleadh airson amhlan an teaghlaich fad a' gheamhraidh. Cheannaicheamaid salann agus leth-bharailte bhon chiùrair airson sin a dhèanamh. 'S e cuideachadh mòr a bha sin.

Ach bha làmh-an-uachdair gu mòr aig na ceannaichean air an iasgair. Nan togradh iad a ràdh nach robh sgadan suas ri buntomhais rachadh a phrìs a lùghdachadh gu mòr, eadhon gun tilgeadh iad suarach buileach e, le 'chastadh' mar a thubhairt mi. Ach "tha caochladh cuir air clò Chaluim" mar a bha 'm facal, tha 'n t-iasg a-nis cho daor ris an fheòil. Nach e a' chuibheall a thionndaidh!

Bha gu leòr de dh'obair ri dhèanamh air an stèisean mum b' urrainn dhaibh tòiseachadh air ciùradh. Bha barailtean is salann 's a h-uile rud eile bha riatanach airson na h-obrach, a' tighinn le bàtaichean stuic mhòr agus, bho nach b' urrainn na bàtaichean sin tighinn thun na cidheannan beaga aig na ciùrairean dh' fheumadh iad bàta agus sgiobadh fhastadh airson an t-sèasain gus an t-aiseag a dhèanamh eadar am bàta stuic is an stèisean leis a h-uile riatanas, is bha sin a' cur sa' chùnntais toirt air falbh nam barailtean sgadain a bha deiseil airson a' mhargaidh.

Bha aig na boireannaich ris gach nì dhe sin a thoirt thar agus a dh'
ionnsaigh ceann a' chidhe còmhla ris na cùbairean, agus na leth-
bharailtean falamh a chur 'nan sreathan air uachdar a chèile agus na
barailtean mòra salainn a chur deiseil far a feumadh na cùbairean is
na pacairean iad.

Le leth-bharailte air gach cruachan gan tarraing, bha ar cnàmhan
gu math goirt aig deireadh an latha. Bha sinn a' ruighleadh nam
barailtean salainn le dithis a' dol ris gach barailte agus putairean
againn, gus ar cuideachadh sin a dhèanamh.

Bha 'n tionnsgnadh againn a-nis seachad agus bha sinn a'
feitheamh ris an obair dhòigheil a thòiseachadh, le 'r còtaichean
oilisgin oirnn agus ar meòirean air an ceangal suas le cuarain. Cha
robh fad' againn ri feitheamh, thàinig driftear thun a' chidhe 's cha
b' fhada gus an robh am bocsa mòr ga lìonadh le sgadan.

Bha gu leòr againn ri cuimhneachadh air a-nis aig an aon àm –
bha tuba beag air ar beulaibh (anns am biodh na mionaichean a'
dol) agus bha sreath de thubannan air neo bascaidean air ar cùlaibh
airson an deifir meudachd sgadain a chur annta. An toiseach an t-
sèasain cha robh iuchair na meallag fhathast san iasg agus is e matjes
a theireadh iad riutha, mòr, meadhanach is beag. Bha sin doirbh gu
leòr an amas anns an àite dhòigheil an toiseach is sinn a' fiachainn ri
bhith luath mar bha càch cuideachd ach cha robh sinn fada gus an
d' fhuair sinn an dòigh dhòigheil air agus uidh air n-uidh thàinig e
na b' fhasa gus, an uair a thòisich na seòrsaichean eile mar bha
'fillings', 'full', is 'spent' rachadh againn air an aithneachadh nar
làimh sa' mhionaid.

Bha chutag gu math geur cuideachd agus is iomadh stopadh goirt
a fhuair sinn bhuaipe an toiseach ach, le pìos anairt a cheangal mun
cuairt air an làimh aice airson grèim na b' fheàrr fhaighinn oirre bha
sinn ag ionnsachadh gu luath.

Bha e cheart cho doirbh aig an tè bha pacadh; ged nach robh a'
chutag a' tolladh a làmhan bha an salann garbh a bha i cur air a

Nuair bha 'n cutadh trang am Barraigh.

Feadhainn a' tarraing na mòine leis na pònaidhean Barrach am Bàgh a' Chaisteil.

sgadan ga shailleadh. Dh' fheumadh a' chiad shreath de sgadan anns a' bharailte bhith air a dhèanamh cho cothrom agus thigeadh aon dhe na cùbairean a shealltainn gun robh e dòigheil mu faighte leanail air a' chòrr dhen bharailte lìonadh – agus bha seo ri dhèanamh air a h-uile barailte riamh. Nam biodh tuilleadh 's a' chòir aig a' phacair air na b' urrainn dhi dhèanamh dh' fheumadh a h-aon dhe na cutairean a dhol ga cuideachadh fad greise gus an traoghadh na tubannan agus air an aon dòigh nam biodh pacair luath ann rachadh i a chutadh greis bheag mun tòisicheadh i air pacadh ach mar bu trice bhiodh gu leòr aig a' phacair a bhith cumail suas ris an dithis a bha cutadh.

'S e tasdan a bha sinn a' faighinn airson gach barailt a lìonte, agus bha sin eadar an criù (ceithir seann sgillinean an tè) agus leis a sin, mar bu dìcheallaiche a bhitheamaid is ann bu mhò bhiodh againn aig deireadh an t-sèasain.

Bha ceann (sgiathag) ga chur air gach barailte a bha làn agus air a bhualadh sìos air, an sin cearcall ga theannachadh air agus na barailtean air an 'tieradh' suas aig na cùbairean 's ga fàgail an sin deannan làithean gus a leaghadh an salann a bh' annda 's a rachadh e 'na phicil. Bhatar an uair sin a' dèanamh toll bunga anns gach barailte is a' bualadh bunga annta, ga seasamh 'na sreathan, is dhrùidhte am picil dhiu leis a' bhunga thoirt asda is peile chur fon toll ga ghlacadh.

Bha 'n sin a 'lìonadh suas' a' tòiseachadh. Nuair a dhrùdhadh am picil air falbh bha an sgadan a' dol sìos sa' bharailte is dh' fheumte a lìonadh suas le tuilleadh sgadain às an aon ghrùnn. Leis an sin rachadh feadhainn dhe na barailtean sgadain a thaomadh ann an tuba mòr agus lìonte na barailtean eile suas leis an sgadan sin.

Bhiodh aon neo dhà de bhoireannaich ionnsaichte a' falbh às dèidh chàich a dhèanamh cinnteach gu robh an t-sreath àrd den sgadan air a dhèanamh dòigheil oir dh' fheumadh a sgadan a bhith air a chur cho snog ann 's a bha chiad sreath aig a' bhonn. Bhiodh e nis a cheart cho tlachdmhor a' coimhead co bè ceann a dh' fhosgailte den bharailte. "Tha cleas anns a h-uile ceàird"!

'S e obair latha theirte ris gach obair mar seo agus bha sinn air ar pàigheadh deifireach bhon chutadh – bha sia sgillin san uair aig gach aon againn agus bhiomaid a' cumail cùnntais air gach uair a dh' obraicheadh sinn agus dhèanadh am fear amhairc thairis (a 'forman') a leithid eile airson 's gum biodh an àireamh ceart.

Bhiodh sinn a' tòiseachadh air an obair latha aig sia uairean sa' mhadainn gus àm bracaist. Bhiodh na bàtaichean air tighinn a-staigh an sin agus bha sinn a' tòiseachadh air cutadh. Nam biodh sgadan gu leòr ann chumamaid oirnn a' cutadh gu sia uairean agus naoi uairean oidhche ma-seach. 'S e latha fada bhiodh ann bho shia uairean sa' mhadainn gu naoi uairean a dh' oidhche!

Bhiodh làithean ann a bha ghrian gar losgadh san Iuchar agus làithean eile bhiodh an dìle gabhail dhuinn is bhiomaid gu math fliuch ged bha seacaidean oilisgin againn is curraic orra gus ar cumail tioram – ach cha robh fasgadh idir againn bho na siantan.

Is e obair thoilichte bha 'n obair a sgadain ge-tà. Co-dhiù bhiodh sinn fliuch no sgìth cha bhite fada dèanamh dìochuimhn' air. Chanadh cuideigin rudeigin èibhinn is thogadh e ar n-inntinnean thar an sgìos a bh' annainn agus bha sinn taingeil gu robh an cothrom againn air an obair a dhèanamh. Nam biodh dannsa san talla cha bhiodh cuimhne air sgìos na làmhan goirte is 's e glè bheag cadail a gheobhamaid 'na dhèidh gus am biodh an t-àm èirigh airson dol gu 'n obair latha.

Agus aig deireadh an t-sèasain bha sinn gu math riaraichte leis na fhuair sinn do dh' airgead airson ar cosnaidh. Bha sinn a-nis ionnsaichte!

Thionndaidh mise ris a' chutadh uair agus uair 'na dhèidh sin ged a dh' fhalbh mi ga m' chosnadh a Ghlaschu. Bhiodh e riatanach dhomh fanail aig an taigh airson cuideachadh thoirt seachad aig amannan agus co-dhiù cha robh na 'cailleachan cosnaidh' ('s e cailleachan a theirte riutha ged nach biodh iad ach òg) daonnan 'na sùgradh!

Bidh mi smaointinn rium fhìn gu dè shaoileadh òigridh an latha diugh dhen chutadh – am biodh iad cho toilichte 's a bha sinne neo a saoileadh iad gur e tràillealachd a bh' ann.

Is gu dè idir a shaoileadh iad dhe na 'cailleachan' cosnaidh a bh' ann?

6. A' fàgail an Eilein

Aig sia bliadhn' deug dh'fhàg mi eilean Bharraigh airson a' chiad uair. Cha robh mi riamh air a' bhàta-aisig ach nuair bha mi faicinn cuideigin eile dhen teaghlach air falbh, agus gu dearbh cha do ghabh mi mòran tlachd dhi no idir an t-àm a bha i fàgail – aig trì uairean sa' mhadainn, àm a bha nàdurra do dhaoine bhith 'nan cadal. Ach cha robh rathad eile air faighinn air falbh às an eilean ach mar seo oir cha robh eathar-adhair ann aig an àm ud.

Co-dhiù bha mi òg 's mi togail a-mach air mo chiad chuairt a dh'fhaicinn air mo shon fhìn beagan dhen t-saoghal a chuala mi na h-uiread mu dheidhinn, is cha robh mi leam fhìn na bu mhò, bha feadhainn eile falbh air a' bhàta còmhla rium.

Cha robh cadal a dhìth orm, bha h-uile rud cho annasach leam ach gu dearbh cha do chòrd e rium coimhead a-staigh don steerage bheag gun cofhurtachd far an robh feadhainn a bha tinn cheana. Smaointich mi gum bithinn na b' fheàrr air an deic ged a bha gaoth na h-oidhche fuar.

Ràinig sinn an t-Oban an dèidh dà-uair-dheug de thuras cuain, leis a bhàt'-aisig a' tadhal ann an eileanan eile air an rathad. Chaidh sinn a dh' iarraidh grèim bìdh – agus gu h-àraid cupa tì – agus cothrom coiseachd mun cuairt gus am biodh an t-àm ann an trèan fhaighinn.

Chan fhaca mise trèan riamh, ach air dealbh ann a leabhar, is bha i nis an siud mum choinneamh anns an stèisean le sreath de charbadan às dèidh an einnsean. Nuair a thòisich i air spùtadh a-mach smùid de thoit a' ghuail bha e gam fhàgail car tinn. Cha robh cleachdadh agam ach air fàileadh glan na mòna gus an seo.

Bha mi gabhail ùidh mhòr anns na seallaidhean a bha mi faicinn troimhn uinneig ged bha smùid toite ga dhalladh orm bho àm gu àm. Bha craobhan àrda brèagha ri fhaicinn, rud nach robh eòlas agam air na bu mhò oir cha robh ach glè bheag de chraobhan san eilean agus cha robh gin aca àrd.

Nuair ruiginn Glaschu bha mi dol a dh' fhuireach ann an taigh bana-charaid gus a faighinn mo rathad mun cuairt agus an sin obair. Bha mi gu math toilichte nuair chunnaic mi gu robh seòladair a b' aithne dhomh 'nam choinneamh anns a stèisean. Bha esan a' fuireach aice fad's a bha e air tìr is dh' iarr i air dol thun na trèin. Cha robh nis agam ri m' rathad fhaighneach do neach sam bith.

Bha na tramaichean a' ruith an Glaschu aig an àm agus thuig mi gu feumainn bhith gu math ealamh air mo chasan airson leum orra is dhiùbh mar bha mo chompanach a' dèanamh.

Chuireadh flath is fàilte orm nuair ràinig mi mo cheann-uidhe agus bha mi faireachdainn aig an taigh gu luath leis a' bhoireannach chòir a bha cho eòlach air nigheanan a thighinn don taigh aice às na h-eileanan. Bha i nis 'na banntraich ach 's ann à Tiriodh a bha 'n duine aice is bhiodh nigheanan Tiristeach aice air chèilidh cuideach is thachair mi ri aon dhiu ann. Bha i glè chàirdeil agus bha i math air seinn cuideachd mas math mo chuimhne.

Bha mi eòlach gu leòr air cruaidh chosnadh ach cha do chuir mi riamh eòlas air gnothaichean a bha air an obrachadh le cumhachd an dealain bho nach robh sin idir againn san eilean agus 's e seo a bha mo bhana-charaid a' dol a dh' ionnsachadh dhomh airson agus nach dèanainn mearachd sam bith nuair rachainn gu bean-chosnaidh. Sheall i dhomh ciamar a làimhsichinn inneal iarnach-aidh 's a h-uile rud eadhon an coire 's na solais, air chor agus gu robh mi buileach eòlach air gach nì an ceann a dhà neo trì làithean.

Bha mi nis comasach air obair sam bith a ghabhail os làimh. 'S e nis àite cosnaidh fhaighinn. Dh' innis i dhomh càite an rachainn

shuas am baile chun an 'Agency'-obrach far an robh mi dol a dh'
fhaicinn feadhainn a bha 'g iarraidh searbhantan.

Bha de mhisneach agam a-nis gun d' fhalbh mi leam fhìn agus
fhuair mi an t-àite glè mhath. Shuidh mi an sin fad greise gus an
robh an t-àm agam dol don t-seòmar co-sheallaidh. Thàinig
boireannach beag snog a bhruidhinn rium agus dh' aontaich mi
dhol a dh' obair dhi nuair dh'ainmich i tuarasdal 's a h-uile nì mar
sin. An ath latha thog mi orm, gu dòchasach, a dh' fhaighinn an
taighe ach nuair a ràinig mi e shaoil mi gu robh e fuathasach beag
airson taigh-cosnaidh. Chuala mise gur e taighean mòra brèagha bh'
annta.

Ach, coma-co-dhiù, beag no mòr, bha mi cinnteach gu faighinn
air adhart glè mhath. Nach beag fios a bh' agam air an t-saoghal!

Thuig mi gu luath gu robh meudachd an taighe a' freagairt orra
fuathasach math oir bha nàdur beag, spìocach aca dha rèir, gu h-
àraid aig fear an taighe. Cha b' fhiù leis bruidhinn rium leis cho mòr
's a bha e às fhèin. "Mìod mhòr gun fhios co às", mar a theireadh
seann bhoireannach còir a b' aithne dhomh.

Cha robh aca ach dà rùm cadail is bha 'm pàisde nighinn aca ann
a h-aon dhiubh is iad fhèin anns an aon eile agus leis an sin cha robh
ann dhòmhsa ach leapa anns a' chidsean 's gun àite 'n cuirinn m'
aodach na rud eile.

An corra fheasgar a gheibhinn a-mach bhiodh agam ri bhith
dhachaigh aig naoi uairean neo beagan 'na dhèidh. Bhithinn a'
fàgail na nigheanan eile anns na dannsaichean na càite eile am
bitheamaid is dh' fheumainn griosad dhachaigh mum biodh
diùmbadh dhomh. Cha robh iuchair idir agam gus faighinn a-staigh
is nuair dh' fhosgladh fear an taighe an doras dhomh 's e gruaim a
bhiodh air aodann is cha bhruidhneadh e idir rium ach thionn-
daidheadh e air a shàil gu 'n àite às an tàinig e.

Bruidhinn air àite gun phian gun sòlas! Cha robh aoigh air a h-
aon aca. Cha mhòr nach b' fheàrr leam gun dol a-mach idir seach
tighinn dhachaigh gu 'n stùic aca. Cha robh eòlas idir agam air 's

cha robh toileachadh san t-saoghal ann. Cha robh an obair a' cur dragh orm, bha e furasda gu leòr leam ach bha e gun chrìoch – gheibhinn rudeigin a bha ri dhèanamh daonnan, eadhon air m' fheasgar dheth thiginn dhachaigh gu stràbh de dh' aodach is dhèideagan a' phàisde agus an t-uisge bh' aice a' nighe a' phàisde ri taobh an teine air fhàgail agam ri dhòirteadh a-mach mun seatainn am bòrd airson a' bhracaist is an deasaichinn an teine airson na maidne. Bheirinn thugam grèim beag bìdh an sin mun rachainn don leapa. Cha robh am biadh fhèin ach gann dhomh. Bha mi òg is bha 'n t-acras orm – nach robh riamh reimhid orm – is bha mulad orm airson mo dheagh dhachaigh fhèin.

Ach thàinig m' fhoighidinn gu ceann an latha dhiùlt i cead dhomh dhol a-mach greiseag feasgar a thàinig cuideigin gam iarraidh agus làn chòir agam air faighinn a-mach. Chan èisdeadh m' fhuil an còrr dheth.

Thuirt mi rithe "mas ann mar sin a thà bidh mi gur fàgail buileach". Thug i 'n sin dhomh cead gu h-aindeònach agus dh' fhalbh mi gu taingeil. Ach nuair a thill mi fhuair mi gu robh i deis a h-aichbheil a ghabhail leis a h-uile rud a b' urrainn dhi fhàgail agam ri dhèanamh. An ath mhadainn thuirt mi rithe nach b' urrainn dhomh an còrr dhe dòigheannan a sheasamh is gu robh mi a' toirt dhi mìos fios airson cuideigin fhaighinn 'nam àite.

Cha robh aithreachas sam bith orm a' fàgail an taighe ud ach dh' fheumainn a-nis àite eile fhaighinn cho luath 's a ghabhadh dèanamh.

Thill mi gu m' bhana-charaid, a bha gu math tuigseachail – is tha mi cinnteach gur iomadh uair a chunnaic i 'n aon rud a' tachairt. "Gabh air do shocair latha neo dhà mun tèid thu shireadh obair eile", thuirt i rium.

An ath mhadainn thàinig dithis thun an dorais a dh' iarraidh cuideachadh airson dèirce agus dh' èigh ise dhòmhsa "Bheil thu dol thoirt dad dhaibh". "Tha" arsa mise, "siud leth-chrun is thoir dhaibh e". "Rinn thu gu math" ars ise. "'S e feadhainn is math an airidh tha annta is cha mhisde thu e, tha mi cinnteach.''

Nuair bha mi falbh suas am baile an latha an dèidh sin thuirt i rium "Cùm suas d' inntinn. Chì thu gum faigh thu deagh àite 'n turas seo." Bha mi na b' fhaiceallaiche a-nis, bha mi smaointinn, agus nuair chunnaic mi leth-sheann bhoireannach ann an èideadh daor mum choinneamh thog mo chridhe.

Dh' fhaighnich i gu leòr de cheistean geura dhomh ach cha robh eagal sam bith orm agus an ceann ùine ghoirid, feumaidh gun do chòrd mi rithe agus bha 'n obair agam.

Dh' innis i dhomh gur e Consal Suaineach a bh' anns an duine aice agus gu robh pàirt aige ann an Comann luingeas a bharrachd. 'S math tha cuimhneam air an ainm aca, "The Grace Line".

Thuirt i rium gum biodh iad a' toirt aoigheachd do dhaoine-uaisle, bho àm gu àm air tàilleabh suidheachadh a cèile ach gun e cùram a chur orm oir gum biodh iad a' faighinn còcaire ealanta a-staigh airson sin is nach biodh agamsa ach a bhith freasdal dhaibh aig a' bhòrd.

Fhuair mise bana-mhaighstir cho coibhneil, tuigseach 's a ghabhadh faighinn. Bha taigh mòr aca ann am Pollokshields agus bha gu leòr de dh' obair agam ri dhèanamh ach bha mi cho toilichte 's a bha 'n latha cho fada còmhla riutha. Bha m' iuchair fhèin agam is bha i sealltainn gu robh earbsa aic' asam. Gu dearbh chan ann a' faighinn tuilleadh obrach dhomh a bhiodh i ach thigeadh i chòmhradh rium gu tric mar a leithid fhèin – agus airson biadh, bha h-uile rud a b' fheàrr a bha aca fhèin agamsa cuideachd.

Nuair a fhuair mi eòlas oirre dh' innis i dhomh nuair chual i gur e eileanach a bh' annam gu robh fios aice gun còrdainn rithe a chionns gun robh nighean laghach às na h-eileanan aice reimhid.

Bha mi 'g ionnsachadh gu math bhon dh' fhàg mi eilean m' àraich. Thuig mi nach e idir na daoine-uaisle a b' àirde sròn ach an fheadhainn bheaga bha fiachainn ri streap suas gu mòralachd le bhith seasamh air na bha 'nan eiseamail. Thatar ag innseadh dhuinn mu fhear dhen t-seòrsa sin sa' Bhìoball – An Stiùbhard eucorach –

Ach fhuair esan an duais a b' airidh e air.

Nuair thàinig orm mo dheagh bhana-mhaighstir fhàgail, is mi air brath fhaighinn bho m' phiuthar gun robh i gu math tinn 's am b' urrainn dhomh tighinn ga cuideachadh, bha mi glè dhuilich gam fàgail 's cha b' urrainn dhìse an t-àite chumail fosgailte dhomh, 's gun fhios cuin a rachadh agam air tilleadh. Ach sgrìobh am boireannach ciatach thugam litir a bha fìor choibhneil (tha i agam fhathast) ag ràdh nam bithinn gu sìorraidh ann a feum teisteanas fhaighinn air dhòigh sam bith gum biodh ise gu math toilichte sin thoirt dhomh leis a h-uile dùrachd.

Nuair fhuair mo phiuthar na b' fheàrr thill mise dhachaigh, an àite dol air ais a Ghlaschu, agus chaidh mi gun chutadh a-rithist an samhradh an dèidh sin oir bhithinn 'nam chuideachadh do m' phàrantan. Ged a bha mo bhràthair aig an taigh bha esan aig obair na postaireachd agus b' fheàirrde iad mise bhith ann airson cuideachadh bho nach robh iad a-nis cho òg, làidir 's a b' àbhaist dhaibh.

Rud a bha iongantach, uair agus uair an dèis dhomh an eàrnais a ghabhail airson iasgach Bhàgh a' Chaisteil, agus air greis don t-sèasan obrachadh ann, nan tigeadh lasachadh air an iasgach agus gum biodh iasgach math an àite eile 'n robh an ciùrair againn, rachadh an criù agam a chur air falbh ann fad greise.

Chan iarrainn-sa na b' fheàrr! Bha e toirt a' chothrom dhomh àitichean eile fhaicinn agus tachairt ri daoine eile (cha b'e a h-uile aon a gheobhadh sin an asgaidh is a' faighinn pàigheadh air a shon a bharrachd). Bha mi daonnan fortanach gum biodh deagh chriù agam agus bha e toirt a' chothrom dhuinn tuilleadh a chosnadh mar seo seach a bhith nar tàmh fad 's a bhiodh an sgadan gann.

7. A' falbh an siod 's an seo

A' chiad uair a chuireadh air falbh sinn nuair theirig an sgadan aig an taigh, cha do dh' fhalbh ach an aon chriù againn fhìn agus is ann do dh' Inbhir Uig, goirid do Thaigh Iain Ghròt, an siorrachd Ghallaibh, an t-àite 's fhaide tuath do thir-mòr na h-Alba, a chaidh sinn. Nuair bha mi òg chluinninn feadhainn ag ràdh, ri cuideigin a bhiodh draghail "Fhalbh is thoir Taigh Iain Ghròt ort", ach chaidh sinne glè dhlùth dha.

Is sinn a bha air ar dòigh. 'S e tachartas às ùr a bh' ann dhuinn. Nuair a ràinig sinn Inbhir Uig bha cùbair a' feitheamh oirnn is thug e gu ar n-àite sinn. Is ann a thaigh-còmhnaidh a thug e sinn; cha robh againn ri dèanamh dhuinn fhìn idir mar a bhiodh aig cloinn-nighean a' sgadain mar bu trice. Bha sinn gu bhith gu math cofhurtail ann cuideachd agus goirid do 'r n-àite obrach.

Bha sinn glè thrang an toiseach ach bha h-uile duine cho coibhneil ruinn is rachamaid a-mach a choimhead an àite nuair bhiomaid ullamh bho nach robh an obair taighe neo còcaireachd againn ri dhèanamh. Cha robh sinn riamh cho math dheth! 'S e chuir annas uabhasach oirnn gu robh dà chriù do leth-sheann bhoireannaich ag obair còmhla ruinn a bha coltach nach robh eòlas idir aca air an obair agus dh' iarradh oirnne, a bha cho òg seach iad, sealltainn dhaibh ciamar a dhèanadh iad 'lìonadh suas'. 'S ann daonnan an rathad eile a chunnaic sinne – an fheadhainn aosda a' sealltainn don fheadhainn òg. Bha sinn car fàiteach gan ionn-sachadh mum biodh iad a' smaointinn gur ann dalma bha sinn ach cha leigeamaid a leas eagal a bhith oirnn. Bha iad uile coibhneil, càirdeil ruinn, agus toilichte gun robh sinn gan cuideachadh. Bha na cùbairean a cheart cho ciatach ruinn. Cha do thuig sinn cho fìor fhortanach 's a bha sinn na cho deifireach 's a ghabhadh feadhainn eile a bhith – cha do thachair sinn air an t-seòrsa sin fhathast.

Cha do mhair an sgadan ro fhada is bha mòran ùine againn a-nis air ar làmhan ach 's e cuairt a bh' ann a chòrd ruinn ro mhath agus nach do dhìochuimhnich sinn riamh. Thill sinn a Bharraigh an sin agus chaidh sinn do Shasann sa' gheamhradh an dèidh sin thun an aon chiùrair. B'e seo a' chiad thuras a bha mi an Sasann. Bha 'n t-sìde àlainn nuair chaidh sinn sìos an toiseach is bha e math bhith faicinn na bùithean brèagha – gu h-àraid 'Woolworths' a bha làn de rudan snoga aig an àm ud air am prìseadh aig sia-sgillinn gach aon. Cha mhòr gun gabhadh e creidsinn dhuinn – ach cha robh sia sgillinnean ach gu math gann againn, cha robh sinn a' faighinn ach pàigheadh seachdain beag nach robh ach air èiginn a' dèanamh a' ghnothaich dhuinn le cùmhnachd. Cha bhiodh sinn a' faighinn ar pàigheadh obrach gu deireadh an t-sèasain mar a biodh rud sònraichte ann a bha toil againn a ghleidheadh dhuinn sa' bhùth; a nuairsin bheireadh an ciùrair seachad beagan airgid airson a chur sìos air ach is ann gu math ainneamh a dh' iarramaid a leithid agus bhiodh sinn gu math cinnteach gun coisneamaid na chosgadh e anns a' chiad àite.

Mun robh an sèasan seachad dh' fhàs an t-sìde gu math fuar is bhiodh an reothadh air a' phicil aig àm 'lìonadh suas' a sgadain. Ach bha sinn ag obair do dhaoine bha coibhneil, nàdurra is nuair dh' fhàsadh ar làmhan ro fhuar bha teine aig na cùbairean ga chumail a' dol dhuinn is rachamaid, mu seach, a bhlàthachadh ar làmhan bho àm gu àm. Chan ann a' dol nar dèidh gar griosad a bha iad idir agus bha bhlàth sin ann: bha barrachd obrach ga dhèanamh is cha robh duine diùmbach. Cha do dh' fhairich mi 'n ùine dol seachad.

An ath turas a dh' fhalbh sinn is ann do Shields a tuath ann a siorrachd Northumberland a chuireadh sinn – bha dà chriù à Barraigh ann agus 's ann an taigh loidsidh a bha sinn ged nach ann còmhla; 's e nigheanan Leòdhasach a bha san taigh còmhla ruinne.

Bha deifir mòr anns an àite 's an dòigh-beatha seach far an robh sinn reimhid, an Inbhir Uig. Cha robh e cho furasda an dualchainnt aig na daoine a thuigsinn ach bha iad coibhneil, ciatach cuideachd agus gu dearbh bha sinn gu math toilichte ann.

Aon latha 's ann a thàinig seòladair Barrach a bha mi gu math eòlach air a thaobh mo bhràithrean fhèin – bha e mun aois acasan – a choimhead oirnn. Thàinig am bàta, air an robh e 'na bhòsun, don phort agus bha gillean Leòdhasach oirre còmhla ris. Chan eil fiosam ciamar a fhuair iad a-mach càite an robh sinn – tha mi smaointinn gur e na nigheanan Leòdhasach a thachair air na gillean 's a dh' innis gu robh sinne còmhla riutha, mas cuimhneach leam, ach thàinig iad còmhla co-dhiù, leis a h-uile seòrsa de ghnothaichean matha dhuinn. Mar do rinn sinne toileachadh riutha! Thug iad a-mach sinn is thug iad aoigheachd is coibhneas dhuinn. Bha feasgar àlainn, toilichte againn còmhla gus na thill iad air ais gu 'n bhàta.

Bha poileasman às an Eilean Sgitheanach ann a Shields cuideachd a bha air leth bàigheil ruinn nuair thachair e oirnn 's a dh' innis sinn dha co às an robh sinn. 'S e fear teaghlaich a bh' ann is bha e toirt chomhairlean oirnn càite rachamaid is càite a sheachnamaid. Thuirt e ruinn gun a dhol goirid don àite ris an canadh iad 'China town', gu robh a h-uile seòrsa fuireach ann 's gu robh e cunnartach, gum biodh sabaidean daonnan 'na measg, is sheall e dhuinn làraich ghearraidhean air a làmhan a' fiachinn ri sabaidean le sgeanan a stad an sin.

Aite eile a bhac e dhuinn is e far an robh a 'Wooden doll' taobh a-mach taigh seinnse a bha goirid don mhuir. Is e ìomhaigh fiodha do bhoireannach le cliabh èisg air a druim a bh' anns a 'Wooden doll' is bha droch ainm aig an àite mun cuairt sin, bha e coltach. Ghuidh e oirnn gun dhol a-mach aon uair 's gu rachadh a' ghrian fodha agus thug sinn taing don duine chòir a bha faicinn nach èireadh beud dhuinn.

'S ann nuair chuir mi eòlas air leabhraichean Catherine Cookson – a chaidh i fhèin a thogail anns na Shields, 's gun i fada bho 'm aois fhèin – a bha mi cuimhneachadh air na chuala mi. 'S e saoghal eile bh' ann aig an àm agus bha cuid dhe na leabhraichean air a luadh mun cuairt air na sràidean 's na daoine air an robh i eòlach ged 's e uirsgeul bh' anns a' mhòr chuid dhiubh.

Chuir mi ùidh anns na ciad leabhraichean aice, bha iad cho coltach ri mar a bha 'n saoghal aig an àm nuair rachadh 'neart thar cheart' mar bu trice is bhiodh an truaghan fo na casan.

Co-dhiù, nuair theirig an sèasan ann a Shields is ann a chuir an ciùrair sinn air adhart do Lowestoft airson iasgach a' Gheamhraidh gun dol dhachaigh idir. Fhuair iad fhèin àite fuirich dhuinn is bha sinn ann mun do thòisich a sèasan dòigheil. Chòrd sin ruinn glè mhath. Gheibheadh sinn ùine coimhead mun cuairt mun tòisicheadh an obair agus 's e àite math airson bhùithean a bh' ann.

Nach beag dùil a bh' agamsa aig an àm sin gun dèanainn mo dhachaigh cho dlùth air Lowestoft (cha toir e ach leth-uair air an trèan às seo) an ceann iomadh bliadhna. Ach thàinig atharrachadh mòr air Lowestoft bho àm an dàrna cogaidh. Chaidh milleadh a dhèanamh air aig an àm sin, ach tha e fhathasd 'na àite tlachdmhor – ged nach fhaigh thu dad a Woolworths air sia sgillinn a-nis. Tha gnothaichean cho daor ann 's a tha iad am bùithean eile.

Bu mhath leinn cothrom a bhith againn air rudan a cheannach tràth airson a thoirt dhachaigh, fad 's a bha 'n ùine againn, agus tha mi am beachd gum biodh cuid de phrìsean a' dol suas mun tigeadh deireadh an t-sèasain 's e tighinn dlùth air àm na Nollaig ach chan fhaigheamaid ar pàigheadh gus am biodh an sèasan seachad. 'S e deagh rud a bha sin air dòigh tha mi creidsinn.

Chaidh mi aon bhliadhna do Lerwick. Cha robh mi riamh reimhid ann is bha fìor thoil agam fhaicinn on a chuala mi na h-uiread mu dheidhinn aig na nigheanan a bhiodh a' dol ann 's bha fiosam nach biodh e furasda an cothrom fhaighinn a-rithist.

Ghabh sinn an trèan às an Oban (an dèis tighinn thar a' bhàta-aiseig) gus na ruig sinn Obar Dheadhain far an robh sinn a' dol a dh' fhaighinn a' bhàta-aiseig a bha gus ar toirt do Lerwick. Bha feadhainn eile còmhla ruinn à Barraigh agus Eirisgeigh agus, nuair a ràinig sinn Obar Dheadhain bha tuilleadh a' feitheamh an aiseig a sin – nigheanan Leòdhasach agus nigheanan is gillean à Eirinn.

B' fheudar dhuinn oidhche chur seachad ann an Obar Dheadhain oir cha robh am bàta fàgail gu madainn.

Cha robh ar cadal ach mì-shocrach is bha sinn air ar cois gu math tràth sa' mhadainn is deiseil airson an aiseig. Bha 'n t-astar mara fada agus chuala mi gum biodh an fhairge glè dhona aig amannan, gu h-àraid dol tarsainn air a' 'Roost' – ged nach robh fios agam gu dè bha sin na càite an robh e.

Ach nuair chunnaic mi am bàta rinn mi toileachadh gun robh i gu math na bu mhò na 'n tè a bh' againn fhìn agus nuair a chaidh sinn innte fhuair sinn gun robh i gu math na bu chofhurtaile cuideachd; bha sreathan de 'bhunks', àrd is ìosal, mun cuairt na steerage agus bha farsaingeachd ann a gheibheadh daoine gluasad mun cuairt ann.

Chaidh mi 'nam shìneadh air aon dhe na 'bunks', fad 's a bha 'n cothrom agam, mar a rinn na bha còmhla rium a bha eòlach air an t-slighe. Ged a bha 'n fhairge gu math plubrach bho àm gu àm cha do chuir e mòran dragh orm.

Thadhail am bàta ann an Kirkwall agus bha sinn ann an cothrom a dhol air tìr agus choisich sinn mun cuairt fad greise gus ar cnàmhan altachadh an dèis a bhith an ùine mhòr anns an aon àite.

Nuair a ràinig sinn Lerwick mu dheireadh bha sinn sgìth ach bha nis againn ris a 'hut' (am bothan fiodha anns am biomaid a' fuireach) a chur air dòigh 's gnothaichean fhaighinn às a' bhùth airson sin a dhèanamh.

A' chiad rud a rinn sinn ge-tà 's e dhol sìos thun a stèisean agus a 'forman' fhaicinn. Nuair a ràinig sinn chunnaic sinn gun robh cruach air na bocsaichean sgadain is a h-uile duine cho trang 's a ghabhadh a bhith. Rinn sinn toileachadh nuair a bhruidhinn dà chrìu Leòdhasach ruinn sa' Ghàidhlig. Bha fios acasan gun robh sinn a' tighinn agus dh' innis iad dhuinn gu robh iad anns a 'hut' ri 'r taobh agus sinn a dhol a-staigh dhan 'hut' aca is gu robh an coire a' goil agus a h-uile rud deiseil airson tì dhuinn. Bha tè dhe na pacairean air ruith suas a chur a' choire air ged a bha iad cho trang 's cho sgìth 's a bha iad.

Thug sinn ceud taing dhaibh agus chaidh sinn suas – bha 'n sin bòrd air a sheatadh leis a h-uile seòrsa is cha robh againn ach an tì chur sa' phoit. Bruidhinn air deagh Samaratanaich! Cò eile bheireadh dhuinn a leithid de choibhneas? Bha fior chàirdean againn sa' mhionaid.

Nuair ghabh sinn an tì 's a sgioblaich sinn nar dèidh dh' fhalbh sinn don bhùth a dh' iarraidh nan rudan a bha dhìth oirnn – mar a bha cloc, poit-tì is coire, brat-bùird (*oilcloth*) is cùirtearan, agus biadh. Thug sinn leinn aodach leapa às ar dachaighean. Cha robh ann ach an aon leapa airson an triùir againn: nach e 'n saoghal a dh' atharraich gu dearbh! is tric a bhios mi dèanamh smaointinn an-diugh.

Thug fear dhe na cùbairean dhuinn seòrsa de chonnlaich airson a chur sa' chèis babhstair a bh' againn agus bha e gu math cofhurtail nuair a fhuair sinn don leapa – gu math anmoch – an dèis dhuinn a bhith gu trang a' glanadh, a' fuaghal chùirtearan is gach rud eile a bha ri dhèanamh 's againn ri dhol a-mach a dh' obair sa' mhadainn. Bha sinn òg, làidir 's cha do chuir e dad oirnn.

Dh'fheumamaid an teine chur air mum faigheamaid tì sa' mhadainn cuideachd agus bha na cisteachan againn fhìn gu math feumail airson suidhe orra còmhla ris an treasda bh' anns an 'hut'.

Bha gu leòr de sgadan ann fad an deagh ùine agus bhiodh sinn ag obair gu math anmoch air a' chutadh oir cha robh dorchadas dòigheil a' tighinn idir an siud san t-samhradh – thigeadh ciaradh mu mheadhain-oidhche agus an sin thigeadh glasadh a latha rithist. Ach ged a bha sinn trang bha sinn gu math toilichte; cha robh bruaillean oirnn 's bhiomaid a' seinn aig ar n-obair is cha laigheadh an sgìos oirnn. Bhiodh puirt-a-beul gan gabhail is pìosan ùra gan cur riutha an dràsd 's a-rithist nach robh idir reimhid annta.

Bha Nan NicFhionghuin (à Barraigh) ann – a chualas gu tric a' seinn is ag innse seann naidheachdan Gàidhlig air an Rèidio bliadhnachan às dèidh sin – agus is i bhiodh a 'lìonadh suas' còmhla rium, oir bhiodh dithis daonnan ag obair còmhla airson tarraing nam bascaidean sgadain a bhiodh againn a lìonadh suas nam barailtean nuair a dhrùidhte am picil dhiubh. Bhiodh Nan ag ionnsachadh òrain Ghàidhlig dhomh, bha cuimhne uabhasach math aice air òrain a chual' i bho màthair agus b' fhìor toil leam bhith ga h-èisdeachd – ach uaireannean thionndaidheadh i ri òrain Bheurla cuideachd a bh' aice air clàir, tha deagh chuimhne agam air aon dhiù 'The big rock candy mountains'. 'S e àm toilichte bh' ann air nach dèan mi dìochuimhne.

Bha aon dhen chriù againn a bhiodh cho tric sa' 'hut' ri 'r taobh 's a bha i 'staigh againn fhìn – cha robh aice ach cas a chur bho dhoras gu doras. Bha 'n dà chriù acasan, a bha cho coibhneil ruinn, anns a hut – criù ionnsaichte agus criù chuibhlearan òga fo a sgèith còmhla riutha.

Air an taobh eile againn bha criù de ghillean Eireannach, dà bhràthair agus caraid dhaibh agus, na truaghain bhochda, cha robh mòran dòighealachd annta. Bha iad cho òg, is ann bu chòir dhaibh a bhith còmhla ri feadhainn na b' aosda a chuidicheadh iad. Cha robh an dithis bhràithrean cho dona dheth ach bha an cianalas air an fhear eile 's cha robh e ach ag iarraidh dhachaigh fad na h-ùine. Bha mi smaointinn gur e an cruaidh-chàs a chuir an siud iad.

'S e àite brèagha a th' ann a Lerwick agus bha sinn aig deagh chiùrair a bha math dhan luchd obrach – ach cha robh a h-uile aon mar sin. Cha teid dìochuimhne agam air a' bhliadhna chaidh mi fhìn 's mo chriù don Bhruaich, mar a theireadh iad ri baile nam Frisealach (Fraserburgh). 'S ann aig ciùrair eile bha mi a' bhliadhna sin agus thòisich sinn ann am Barraigh, le tòrr sgadain an toiseach an t-sèasain. Bha h-uile nì gu math is sinn glè thoilichte aig deagh chiùrair a bha math gu ceannach sgadain, agus e 'na dhuine ciatach, càirdeil a thigeadh daonnan a bhruidhinn ruinn agus is ann a sheasadh e gu tric aig ceann a' bhocsa is e fhèin a' cutadh feadhainn den sgadan. Cha robh eagal air a làmhan a shalach.

Ach an sin chaidh an t-iasgach air ais gu mòr, mar as tric a bhiodh a' tachairt agus aig an aon àm bha iasgach mòr anns a' Bhruaich agus, bhon a bha stèisean aig a' chiùrair againn sa' Bhruaich cuideach, 's ann a rachadh dà chriù a chur don Bhruaich. Bha tè dhen chriù agam nach robh e ro fhurasda dhi falbh agus rinn i iomlaid ri tè à criù eile bha deònach falbh còmhla ruinn.

Bha sinn uile gu math deònach tuilleadh obrach fhaighinn. Nuair a ràinig sinn a' Bhruaich chaidh an dà chriù againn a chur còmhla san aon 'hut' a bha shuas staidhre os cionn na stèisean – agus b' e sin an stèisean, bha i na bu mhotha na gin a chunnaic mise riamh agus i le mullach glainne oirre. Cha chuireadh na siantainnean dragh oirnn an seo co-dhiù, bha deagh fhasgadh againn bho gach taobh. Bha na h-uiread de bhoireannaich ag obair ann is gu robh feum air dà fhorman airson coimhead 'nan dèidh agus bha cùbairean dha rèir ann.

Bha uabhas fhèin de sgadan ann ach chan e sgadan mòr, brèagha mar a bha air a' chosta 'n iar a bh' ann idir ach sgadan beag a rachadh tòrr dheth anns a' bharailte. Cha mhòr gun do thog sinn ar cinn thar na h-obrach fad 's a bha sinn ann is bha sinn daonnan ro sgìth airson dol cuairt feadh a' bhaile. Bhiodh gu leòr dhuinn a dhol 'na bhùth a dh' iarraidh nan gnothaichean a bha dhìth oirnn. 'S e obair! obair! Fhearchair a bh' ann, mar bha sa' sgeulachd mu dheidhinn na sìthichean nach b' urrainnear obair gu leòr a chumail riutha – ach cha b' e sìthichean a bh' annainn idir is cha robh sinn ann an cothrom bhith 'g obair gun lasachadh.

Nuair a chaidh maille air an iasgach, mu dheireadh, cha robh sinn duilich ach cha robh e fada gus an tàinig brath gu robh iasgach mòr a-rithist am Barraigh is gun robhar gar n-iarraidh air ais.

Cha robh dàil ri bhith ann. Ach an turas seo cha robh feitheamh ri trèan idir, 's ann a chuireadh air aon dhe na làraidhean mòra, a bhiodh a' tarraing a sgadain, sinn – mar gum biodh beathaichean gan aiseag bho àite gu àite – cha robh àite suidhe innte ach na cisteachan againn fhìn. An gabh e creidsinn? Chaidh mullach canabhais a chur oirre 's bha sinn a-nis deiseil airson na slighe bhon Bhruaich thun an Obain – bho thaobh an ear gu taobh an iar Alba anns an dòigh seo!

Bha tè dhe na nigheanan fuathasach tinn air an rathad is b' fheudar don dràibhear a bhith stad bho àm gu àm; an duine còir, bha e gu math na b' iochdmhora na bha a mhaighstir.

Chan e mhàin gun robh an t-astar mòr seo, gun cofhurtachd a sheòrsa sam bith, againn; bha nis am bàta againn ri fhaighinn airson an aiseig do Bharraigh – dà uair dheug eile!

Cha chreid mi gu bheil beò a-nis ach aon tè eile dhe na sianar againn. Tha i beagan nas aosda na mise ach tha a deagh chuimhne aice fhathast.

Nuair ràinig sinn Bàgh a' Chaisteil bha na bocsaichean sgadain a-rithist làn is a h-uile duine cho trang. Cha d' fhuair sinn mòran ùine airson ar sgìos a chur dhinn nuair a b' fheudar tòiseachadh a-rithist air obair – ach a-nis bha sinn aig an taigh is bha sinn gu math na b' fheàrr dheth air a h-uile dòigh. A bharrachd air sin bha an sgadan mòr brèagha againn an àite 'n sgadain bhig agus thog ar cridhe ris.

Nuair thàinig deireadh an t-sèasain, ann a' meadhon an t-Sultuine, bha barrachd airgid agam air a chosnadh na bha riamh reimhid agam ann a sèasan Samhraidh – ach nach bu daor a cheannaich sinn e!

Ach cha robh sinn ullamh fhathasd, bha sèasan Shasainn ri tighinn oir gheall sinn aig toiseach an t-samhraidh gun dèanamaid a sèasan Gheamhraidh cuideachd, 's cha b' urrainn dhuinn dol air ais air ar facal.

Leis a sin, an ath mhìos, anns an Dàmhair bha sinn a' deasachadh airson a' bhàta ghabhail air ais agus ar ceann-uidhe Lowestoft. Cha robh smaointinn air bhith dol air fairge idir ro thaitneach ach bu toigh leam bhith dol do Lowestoft.

Bhiodh na driftearan bho thaobh an ear Alba a-nis air an rathad sìos airson an iasgaich gheamhraidh agus cloinn-nighean an iasgaich bhon taobh an ear 's an iar a' dol sìos air trèanaichean, sònraichte air an son fhèin aig na ciùrairean, agus is ann air aon dhen fheadhainn sin a bhiodh sinne falbh.

Nuair a ràinig sinn Lowestoft chunnaic sinn gur ann air na 'denes', goirid don mhuir, a bha 'n stèisean aig a' chiùrair – àite gu math fuar gun fasgadh sam bith againn os ar cionn an seo.

Bha 'n t-sìde math mar bu trice aig toiseach an t-sèasain an Sasann chan ann idir mar a bha i aig an taigh. Bhiodh dùil againn daonnan ri gèileichean toiseach an Dàmhair – bha rudeigin aca ri dhèanamh ri co-fhreagradh-thràth, mar gum biodh na siantan a' sabaid an aghaidh a chèile aig an àm – agus sin an t-àm a bhite dol sìos do Shasann. Bhiodh an fhairge stoirmeil agus cha b' fheàirrde feadhainn a bha dèanamh an aiseig sin. Bha 'n sèasan air tòiseachadh gu math nuair a ràinig sinn is bha deagh iasgach ann.

'S e sgadan beag a bha 'n Sasann cuideachd; cha robh e an àite sam bith cho mòr ri sgadan a' chosta 'n iar ach bha e na b' fhasa chutadh bho nach fheumte an sgian a chur ann ach aon uair an aghaidh dà uair air sgadan a' chosta 'n iar oir bha na bu lugha de chutadh 's an fhear seo is bha e làn iuchrach is mealaig. Leis an sin bha sinn na bu luaithe ga chutadh. Tha cuimhneam aon latha, 's mi cutadh mar a b' àbhaist aig ceann a' bhocsa thàinig duine uasal, a bha gar coimhead a' cutadh, far an robh mi agus thuirt e rium gun robh e cunntais na chutainn ann a mionaid "agus a bheil fios agad gun do chut thu trì fichead sa' mhionaid?" thuirt e. Cha robh fios agam agus tha mi uile chinnteach nam biodh fios agam gu robh esan gan cùnntais nach dèanainn a leth uiread – gum bithinn ro nearbhach.

Bhiodh feadhainn daonnan a' tighinn a choimhead oirnn mar siud. Tha mi creidsinn gun robh e mar annas dhaibh ach bha mi gan coltachadh ri feadhainn a bhiodh a' dol don sutha. Cha robh mi cofhurtail idir leò.

Bha 'n sgadan beag-sa fuathasach blasda agus bhiodh sinn a' taghadh sgadan iuchrach gus thoirt dhachaigh airson ar dìnneir nuair a bhiodh e lathaichean ann a salann.

Rud a mhothaich mi dha 's sinn cho dlùth air a' mhuir is e gun robh a' mhuir a' coimhead mar gum biodh i os cionn an fhearainn agus chuir e annas mòr orm – cho deifireach bhon chosta mun cuairt nan eileanan againn fhìn a bha gu creagach sìos fon fhearann. Ach cha robh cnuic is beanntan an seo idir mar bha againn, bha h-uile àite cho rèidh agus is ann bhon a thàinig mi dh' fhuireach an seo a fhuair mi mach gun robh a' mhuir a' toirt air falbh pàirtean den fhearann uidh air n-uidh agus gum bheil baile mòr, slàn 's mar a bha e fon mhuir glè ghoirid don àite sa' bheil mi fuireach. Chaidh mi choimhead an taigh-tasgaidh ann a Dunwich far am bheil iad a' sealltainn gnothaichean, a fhuair iad air ais às a' mhuir, a bh' anns a' bhaile seo. Chaidh eaglaisean, taighean, bùithean 's a h-uile togalach eile a shluigeadh suas leis a' mhuir gu sìorraidh – agus tha 'n costa an còmhnaidh san aon chunnart, le togalaichean a chaidh a chur suas fada bhon mhuir a-nis aig oir na mara.

Bha e ri ràdh gum biodh fuaim nan glagan aig na h-eaglaisean a bha fon mhuir, gan cluinntinn, bho àm gu àm, a' tighinn thairis air an fhairge.

'S ann a tha e mar sgeulachd a chluinneamaid an toiseach mo chuimhne, ach tha 'n tè seo gu math fìor, mo thruaighe.

Bha sinn gu math trang ag obair bhon thàinig sinn a-nuas agus bha na h-iasgairean toilichte cho math 's a bha 'n t-iasgach cuideachd. 'S e obair chunnartach a tha san iasgach agus gu h-àraid an àm a' gheamhraidh ach b' fhiach e an t-saothair nuair gheobhadh iad an t-iasg.

Mar bha 'n ùine dol seachad dh' fhàs an t-sìde na b' fhuaire is bhiodh an reothadh air an sgadan: ghabhadh e beagan ùine mam faigheamaid ar meòirean a' dol gu sùpailte. Ach bha e na b' fhuaire buileach nuair thòisicheadh an 'obair latha' 's bha againn ri 'r làmhan a bhogadh anns a' phicil.

'S e bodachan beag cruaidh-chridheach a bh' anns an fhorman a bh' againn agus feumaidh gun robh e toirt toileachadh dhà bhith gar faicinn a' fulang oir cha leigeadh e leinn an gràpa, a bh' ann airson togail a sgadain às an tuba làn picil reòta, a ghabhail, bha e toirt oirnn ar làmhan a bhogadh ann gus an cailleadh iad an lùth leis an fhuachd. Nach iomadh deachdaire a bhiodh air an t-saoghal nam faigheadh iad leò e. Cha chualas iomradh air Hitler aig an àm ud ach cha chuireadh e annas orm ged a b' ann às an aon ghur a thàinig a forman ud.

Ach fhuair mi dòigh air aichbheil a thoirt às mo shocair fhèin. Bha e cho beag agus gu feumadh e trì tubannan a chur os cionn a chèile gus faighinn suas air an àrd-ùrlar mu choinneamh a' bhocsa sgadain aig an robh sinn a' cutadh. Bha mise 'nam sheasamh ag obair aig ceann a' bhocsa agus na tubannan agam air an cruinn-eachadh airson a sgadain a chur annta mar a dh' fheumainn ach bha 'm bodachan a' smaointinn gu robh còir aigesan air na tubannan a thoirt bhuam agus staidhre dhèanamh dhiubh dha fhèin is bha mi air fàs seachd searbh dhen seo.

Thòisich mi air na tubannan thoirt air falbh cho luath 's a rachadh esan suas air a spiris agus nuair thigeadh e gu teàrnadh a-rithist cha bhiodh cothrom aige air faighinn sìos 's gun tuba air fhàgail. Bha mi cur sgadain annta cho luath 's a b' urrainn dhomh. Cha mhòr nach biodh e leum às a chraiceann leis an fheirg ach cha robh mi leigeil orm gun robh mi ga chluinntinn. Cha robh e fada gus na thuig e nach robh e dol ga fhaighinn leis; ged a sprèadhadh e cha ghabhadh neach truas ris.

Chunnaic mi tè dhe na boireannaich a' dol ann a laigse leis an fhuachd agus cha b' fheàirrde gin againn e, cruadalach 's mar a bha sinn.

Cha b' e mhàin a fuachd a bha muigh bha againn ri sheasamh; nuair thigeadh sinn dhachaigh don taigh-loidsidh cha robh blàths

ann na bu mhò. 'S e banntrach bhochd a bh' anns a' bhoireannach
aig an robh sinn a' fuireach 's cha robh an cothrom aice air mòran
fhaighinn airson cofhurtachd. 'S ann airson cuideachadh dhi fhèin a
bha i gabhail nigheanan an iasgaich a-staigh.

Sheall i dhuinn deilbh an teaghlaich aice 's gun aon dhiubh air
fhàgail. Bhàsaich iad leis a' chaitheamh (T.B.) an galair nach cluinn
sinn ach ainneamh mu dheidhinn an-diugh, mar a thuirt mi cheana,
agus is math nach cluinn gu dearbh.

Chuir e eagal oirnn mar a dh' innis am boireannach bochd
dhuinn. Bha a' bhochdainne 's an cion an seo mar bha againn fhìn –
ma dh' fhaoite na bu mhiosa dheth na bha sinne oir bha maorach na
tràghad agus mòine againne nach robh acasan.

Cha robh i 'na h-aonar na bu mhò. Dh'innis feadhainn eile
dhuinn gur ann le bhith gabhail loidsearan san t-samhradh agus
nigheanan an iasgaich sa' gheamhradh a rachadh aca air cumail a'
dol. 'S e iasgairean a bh' anns na fir mar bha againn fhìn is aig àm an
t-samhraidh rachadh a' bhean 's a' chlann a chadal ann a sead a-
muigh is ghabhadh iad na b' urrainn dhaibh do luchd-tadhail san
taigh (Bhiodh gu leòr dhiùbhsan a' tighinn do Lowestoft oir 's e àite
brèagha th' ann).

Cha bhiodh feum aig nigheanan an iasgaich ach air aon leapa
airson criù is leis a sin rachach aca fhèin 's an teaghlach air tilleadh
dhachaigh – cha robh leapa an t-aon idir ann an uair ud ach aig na
daoine beartach – 's bha na daoine-sa air an aon chàradh ruinn fhìn.
Chuir e annas mòr orm na cheannaich an leabhar a sgrìobh mi bho
chionn trì bliadhna agus a thuirt rium gun tug e an caoineadh orra 's
iad a' cuimhneachadh mar a bha an dòigh-beatha fhèin cho coltach
ris. Cheannaich seann bhoireannach as aithne dhomh còig copaidh-
ean airson an toirt 'nan gibhtean do chàirdean aig àm na Nollaig.

Nuair chaidh mise dhachaigh às dèidh sèasan Shasainn dh' fhàs
mi tinn agus bha mi 'nam laighe gun ùidh am biadh na rud eile fad
ùine mhòr. Tha cuimhneam nàbaidh còir a thighinn gam choimh-
ead, le iasg air ùr ghlacadh aige dhomh is e toirt comhairle orm gu

feumainn fiachainn ri rudeigin ithe air neo gur e 'm bàs a gheibhinn. Ach cha robh e cur dragh orm aig an àm ged a b' e; bha mi coma ged a b' e am bàs a bh' ann dhomh. 'S ann bliadhnachan 'na dhèidh sin a fhuair mi mach cho goirid 's a chaidh mi dha – nuair sheall an làrach suas ann an X-raidh. Bha mi fortanach gun robh mi cho fallain ged a theab a sàrachadh 's a fuachd a dh' fhuiling mi an gnothach a dhèanamh orm. Cha deach mi riamh tuilleadh a dh' obair gu 'n chiùrair ud na bu mhò. Choisinn mi barrachd airgid a' bhliadhna ud na choisinn mi riamh reimhid aig a' chutadh ach cheannaich mi ro dhaor e!

8. An dàrna Cogadh Mòr

Bha mi 'nam shearbhanta aig seann bhean-uasail anns a' Choinghil, goirid don Oban, nuair a thòisich an dàrna cogadh. Fhuair mi an obair-sa nuair a chuir a' bhean-uasal fios gu caraid dhi ann am Barraigh a dh' fhaighneach am faigheadh e nighean Bharrach a bhiodh freagarrach airson a dhol a dh' obair thuice. Chuir esan fios thugamsa le m' bhràthair a bha 'na phosta, agus dheònaich mi dhol ann – agus cha robh aithreachas orm gun deachaidh. 'S e àite brèagha th' anns a' Choinghil agus is ann a b' fheàrr leam a dhol na don bhaile mhòr.

Bha taigh snog aice a chaidh a thogail dhi fhèin agus thug i an t-ainm 'Ach na Mara' air. Chan eil fiosam cò thagh an t-ainm dhi ach cha robh facal Gàidhlig aice fhèin.

'S ann don t-seann ghnè de bhana-mhaighstirean a bha i – nach b' urrainn daoine cumanta gu sìorraidh a bhith cho àrd bun-cluaise ri a leithid fhèin. Ach coma co-dhiù, fhuair mise air adhart glè mhath còmhla rithe agus bha mi gu math toilichte, gu h-àraid air tàilleabh 's gu robh fear agus bean cho coibhneil 's a chunnaic mi riamh san taigh aice – 'nan searbhantan a bh' aice bhon bha i òg. Bha a' bhean fhathasd 'na bean-taighe aice, a' dèanamh na còcaireachd 's a' cumail gach nì an òrdan dhi, ach cha robh an duine ann an cothrom obrach idir oir bha tinneas a' chridhe air. B' àbhaist dhàsan a bhith 'na ghàirnealair aice.

Chaidh a' bhean a dh' obair don bhana-mhaighstir nuair a bha i 'na nighinn glè òg agus dh' fhan i còmhla rithe gus na phòs i. Air son a cumail 'na seirbheis thug a bana-mhaighstir a cèile gu bhith 'na ghàirnealair cuideachd agus, nuair a cheannaich i taigh mòr san Fhraing 's a chaidh i dh' fhuireach ann thug i iadsan leatha. 'S ann nuair a chaill i a' chuid mhòr dhe a h-airgead anns a' 'Wall Street Crash' a thill i do dh' Alba agus a fhuair i an taigh beag-sa (air rèir an fhir a bh' aice) a thogail. Bha 'n duine 's a bhean cho fada còmhla rithe 's gur e seo an dachaigh-san cuideachd. Cha robh clann idir aca. Is ann à Sasann a bha an dithis acasan, an duine à Norfolk agus a bhean à Suffolk. Ma dh' innis iad dhomh ciamar a thàinig iad gu bhith 'g obair aig bean-uasal a bha bho shliochd àrd-uaisle na Gaidhealtachd chan eil cuimhneam ach tha mi smaointinn nach do dh' innis.

'S ann 'nam 'house-tablemaid' a chaidh mise ann – bha bhana-mhaighstir fhathast a' cumail suas na seann dòighean, le seirbheis airgid air a' bhòrd airson tì agus soithichean is glainneachan fiachmhor eile mar a chleachd i, ged is ann ainneamh a bhiodh companaidh aic. Thàinig smaointinn bheag olc 'nam inntinn – saoil ciamar a dhèanadh i 'n gnothach nam biodh cuarain air a meòirean? Nach e tha fìor nach eil fios aig an dàrna leth den t-sluagh ciamar tha 'n leth eile tighinn beò.

Cha robh mise fada còmhla ris na daoine còire ud nuair a dh' atharraich mo dhòigh cosnaidh agus 's ann a bha sinn mar gum biodh teaghlach a' cuideachadh a chèile. Thigeadh làithean nach biodh a' bhean-taighe ro mhath is dhèanainn an obair air a son. Bha na casan aice cho goirt 's gun robh e doirbh dhi coiseachd ach cha do dh' fhiach i riamh ri obair a chur orm.

Ged a bha bhana-mhaighstir daonnan coibhneil a' bruidhinn ris an duine bhoch rachadh aice air a bhith gu math biorach ris a' bhean aige uaireannan, agus b' olc bu chòir dhi e oir bha i daonnan dìleas dhi agus a' fiachainn ri toileachadh air a h-uile dòigh. Agus bha i math air còcaireachd cuideachd, is dhèanadh i gach nì gu deagh nàdurrach. Bha 'n dithis aca a' cur truas orm, nuair bu chòir dhaibh a bhith gabhail an t-saoghail na bu shocraiche bha iad

fhathast ann an eisimeil bana-mhaighstir a bha nis gu math sean
agus aig nach robh tuigse air an cor co-dhiù, bho nach tàinig oirre
riamh a bhith 'g obair do chàch.

Fhuair mi eòlas air na daoine mun cuairt agus bha teaghlach
Uibhisteach ann a thug cuireadh dhomh do 'n dachaigh. 'S e fear an
taighe bha 'na ghàirnealair againn a-nis agus sin mar a fhuair mi
eòlas orra an toiseach. 'S e daoine fuathasach ciatach a bh' annta
agus is iomadh feasgar toilichte a chuir mi seachad san taigh aca
nuair a bhiodh ùine agam dhomh fhìn cuideachd.

Bha mo shaoghal gu rèidh, riaghailteach gus an tàinig a
naidheachd uabhasach gu robh cogadh air tòiseachadh. Dh'
atharraich sin dòigh-beatha a h-uile duine. Far an robh fois is sìth
bha nis eagal is fiamh is mì-thoileachadh.

Fhuair a' bhean-taighe tòrr de dh' aodach dubh airson cùrtairean
a dhèanamh dha na h-uinneagan bhon a dh' fheumamaid a-nis an
dubhadh mum faigheadh solas a-mach a chitheadh a nàmhaid.
Thòisich ise air a fuaghal leis an làimh is dh' fhaighnich mi dhi
carson a bha i fuaghal le làimh nuair a bha inneal fhuaghail làimhe
aig ar bana-mhaighstir a dhèanadh an obair fada na bu luaithe.
"Tha", ars ise "a chionns nach eil cead agam air a gabhail; thuirt i
rium nach robh tuigsinn aig searbhantan air innealan obrachadh
dòigheil agus gum brisinn oirre i."

"An dà", arsa mise "tha inneal fuaghail choise aig mo mhàthair-
sa a tha nas fheàrr na 'n tè-sa is cha do bhac i riamh dhòmhsa a h-
ùisinneachadh ged tha i gu math prìseil aice."

Feumaidh gun do dh' innis ise seo don bhana-mhaighstir oir,
nuair a chunnaic mi i 'n ath latha, thuirt i rium gun cual' i gu robh
mi eòlach air inneal fhuaghail obrachadh agus gum faodainn an tè
aice ùisinneachadh nan tograinn.

"Cha togair mi idir", thuirt mi rithe, "nach eil an aon eagal oirbh
gum brisinn-sa i bho nach eil earbsa agaibh ann a searbhantan?"
Cha ghabhainn turas rithe ach leig mi fios dhi gu robh fios agam gu
dè thubhairt i.

Chanadh i gu tric rudan a bha goirteachadh na bean-taighe ged a bhruidhneadh i daonnan modhail riumsa – ach bha mise 'nam shaoranach mar nach robh an tè eile. Shaoil mi sin gu math neo-choibhneil dhi.

Rinn sinn na cùrtairean uile leis an làimh, ged a thug iad an deagh ùine dhuinn, agus chuir sinn suas iad an sin, a' dèanamh cinnteach nach fhaicte solas idir air an taobh a-muigh. Bha sinn glè thoilichte às ar n-obair.

Bha nis agam ris na dorais a bhith glaisde agus na solais dheth uile aig deich uairean a dh' oidhche ach bhiodh i fhèin 's an cat mòr dubh aice 'nan suidhe san t-seòmar mhòr fads a thogradh i 's cha robh mise cur dragh oirre.

An sin, aon oidhche 's mi dol suas an staidhre, an dèis fhaicinn gun robh a h-uile nì tèarainte 's na solais às gu h-ìosal, chuala mi an glag cruaidh aig an doras a-muigh a' bualadh agus thill mi gu luath sìos a-rithist is dh' fhosgail mi 'n doras. Bha i an sin agus colg oirre rium. "Ghlas thu muigh mi", ars ise. "Tha mi duilich", thuirt mise, "ach cha robh aon fhios agam gun robh sibh a-muigh". An àite tighinn a-staigh 's ann a thug i ceum air ais agus ghlaoidh i "Ghlas thu muigh mi às mo thaigh fhèin". "Uil", arsa mise "ghlas mise suas aig deich uairean mar a thug sibh an t-òrdan dhomh." Ach cha robh i ullamh fhathast. "Bha còir agad air dèanamh cinnteach gun robh mi staigh", ars ise. Bha mi air fàs glè sgìth dhe cuid truid a-nis 's gun dad a' dol ga stad is thuirt mi "Gu dè chòir a bh' agam air dèanamh cinnteach gun robh sibh a-staigh an dèis dhuibh àithnean cruaidhe a thoirt dhomh gu dè dh' fheumainn a dhèanamh, agus tha sibh a' leigeil an t-solais a-mach is 's e am Poileas a bhios an seo a dh' aithghearr", is leis an sin thionndaidh mi air mo shàil is dhìrich mi 'n staidhre a-rithist.

Shaoil mi gum faighinn tuilleadh dheth sa' mhadainn ach cha d' fhuair, cha tug i guth air is bhruidhinn i rium cho modhail 's a b' àbhaist. Bha mi ann am beachd a ràdh rithe nach robh i toirt mòran creideas dhuinn, a dèis dhuinn saothrachadh cho mòr ris na cùrtairean is an cur suas gu dìcheallach airson agus gum biodh a h-uinneagan gun mheang, gun robh i falbh mun cuairt fiach a faigheadh i adhbhar gearain a-nis. Ma dh' fhaoite gun do thuig i leatha fhèin nach robh an rud a rinn i fuathasach laghach.

Bhithinn uaireannan a' dol a-staigh don Oban air turais – a dh' fhaighinn gnothaichean airson an taighe, nach faighte sa' bhaile, air neo gnothaichean airson an duine bhochd bhon chemicear. Bha sin gu math feumail agus phàigheadh iad m' fharadh air a' bhus. Bha e còrdadh riumsa glè mhath faighinn a-mach mar seo.

Ach is ann a fhuair mi cothrom air deagh bhaidhsagal a cheannach airson deich-tasdain-fhichead. Bha sin gu math saor ach cha robh mo phàigheadh ach beag, aig an àm cuideachd, 's cha robh mi cinnteach am bu chòir dhomh fhaighinn. Ach is ann a dheònaich a' bhean-taighe 's an duine air mo chuideachadh leis bhon a chuidicheadh e iad fhèin cuideachd. Seo mar a bha' phàigh iadsan leth na prìse – còig-tasdain-dheug – agus fhuair mise am baidhsagal is cha robh feum tuilleadh acasan air bus a phàigheadh. Rachainn gu toilichte a-staigh don Oban aig àm sam bith is cha robh feum air feitheamh ri bus. Bha e cuideachd agam fhìn airson falbh far an tograinn nuair bhiodh ùine agam agus sin rud a bha fìor mhath. Cha do smaointich mo bhana-mhaighstir air dad cuidiche thoirt dhomh gus a phàigheadh, mar rinn càch, ged bha ise dol a bhuannachd a cheart cho math.

Chan iarrainn a-nis na b' fheàrr na bhith falbh an siud 's a seo mar bu mhiannach leam a' faicnn na dùthchadh mar a chleachd mi 'nam òige. Cha do thàlaidh oirfideas a' bhaile-mhòir riamh mi. Bha mi fortanach a bhith ann an àite cho brèagha agus cho sàbhailte aig an àm-sa.

Bhiomaid a' cruinneachadh 'sphagnum moss' – a bha gu leòr dheth air fearann mo bhana-mhaighstir – airson feum nan ospadal aig àm a' chogaidh, agus bhiodh pocannan dheth ga thoirt air falbh. Bha sinn ro dheònach rud sam bith a b' urrainn dhuinn a dhèanamh gu cuideachadh thoirt seachad.

An fhairge aig Tangasdal.

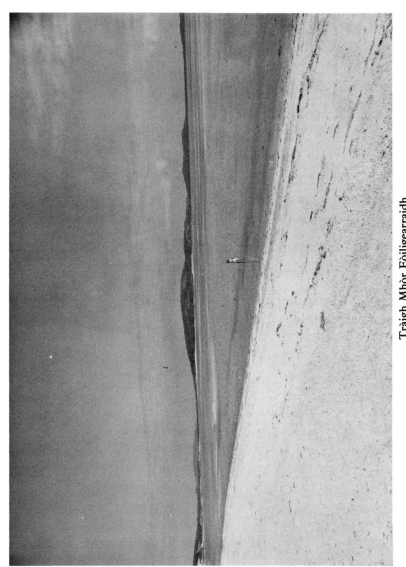

Tràigh Mhòr Eòiligearraidh.

Bha deifir a-nis air a' bhiadh a gheobhamaid ach sheall a' bhean-taighe cho math 's a rachadh aice air a' ghnothach a dhèanamh leis a' bheagan agus bha eadhon aran-milis math againn a dhèanadh i leis na h-uighean tioram. Tha agamsa fhathast air an sgrìobhadh sìos na dòighean dèanaimh a dh' innis i dhomh. Dh' ionnsaich ise cuideachd anns a' chiad chogadh is ghabhadh i nis a h-uile rud gu socrach 'na ceum. Cha mhotha 's e àmhainn mar a th' againn a-nis – a dh' fhaodas sinn an teas a thionndadh suas neo sìos gu 'r miann a bh' aice ach àmhainn staoin (*tin*) air uachdar stòbha paireafain. 'S ann a thoill i duais bho a bana-mhaighstir, tha mise a' smaointinn. Cha do dh' fhairich sinn dìth sam bith, taing mhòr dhìse.

Aig deireadh na bliadhna 1940 bha dùil agam pòsadh fear às m' eilean fhèin, a bha mi eòlach air bhon bha sinn glè òg. Bha 'n soitheach air an robh e 'na bhòsun ri tighinn air ais mun àm sin.

Dh' innis mi do m' bhana-mhaighstir gum bithinn ga fàgail an ceann mìos a dh' ùine ach cha b'e ise bu duilghe leam fhàgail ach an dithis a bha cho math dhomh is ged a b' ann leò fhèin mi agus a chuir an earbsa annam. Bha fios agam gum biodh iad gam ionndrain ach cha robh àrach air. 'S e àm cogaidh a bh' ann 's gun fios gu dè dh' fhaodadh tachairt bho là gu là – is bha mi air m' fhacal a thabhairt.

Bha mi ann a fìor dhòchas gum faigheadh iad cuideigin eile bhiodh math dhaibh 'nam àite ach bha 'n ùine dol seachad ro luath leam. Bha mi smaointinn cho toilichte 's a bha mi còmhla riutha is mi cinnteach nach biodh fad-saoghail aig mo charaid bhochd tuilleadh oir bha e fàs na bu laige fad na h-ùine.

Bha imcheist orm – ma dh' fhaoite gum bu chòir dhomh barrachd ùine bhith air a thoirt dhomh fhìn. An robh mi a' dèanamh an rud cheart? Cha robh fios agam cò bu chòir dhomh chur air thoiseach le cinnte.

Ach fhuaras an sin nighean phongail a bhiodh freagarrach is bha mi faireachdainn na b' fheàrr 'nam inntinn mu dheireadh. Thug mo bhana-mhaighstir dhomh gibht àlainn, tubhailte bùird leis na neapaigean còmhla ris a th' agam thun an latha diugh is iad a' coimhead cho ùr 's a bha iad riamh, an dèis còrr is leth-chiad bliadhna.

Chuir e annas mòr orm gun tug i dhomh seo. Cha robh dùil 'am idir ri dad bhuaipe bho nach do rinn i riamh a leithid, mar a dh' innis a' bhean-taighe dhomh. Ach bidh mise a' cuimhneachadh oirre nuair a bhios mi seatadh a' bhùird leis an tubhailte aice. "Is beag nach eil nas buaine na mac an duine", mar a theireadh mo sheanmhair.

Bha h-uile nì nis air dòigh agus mi deiseil airson fàgail. Bha mi dol a dh' fhuireach còmhla ri m' phiuthair, Anna, ann am Baile-Chaolais gus an tigeadh an t-àm dhomh dol a Ghlaschu nuair thigeadh am bàta aig an duine bha mi dol a phòsadh a-staigh. Bha e gu math doirbh leam beannachd fhàgail aig na deagh chàirdean a bha nis agam anns a' bhaile bheag, a' Choingheal, far an robh mi fuireach gu toilichte cho fada, gun bhruaillean air m' inntinn is le daoine ciatach, coibhneil mun cuairt dhomh. Tha mi creidsinn gun robh e nàdurra gum biodh mo shùil 'nam dhèidh oir 's ann an uair-sin a thàinig e thugam le cinnte gun robh mi dol a ghabhail ceum mòr 'nam bheatha.

Ach mun robh an t-àm gu falbh thàinig litir a dh' innse dhomh gun robh am bàta air a cumail air dheireadh agus a-nis gum biodh sia mìosan eile mum bitheadh i air ais am Breatann. Cha robh reusan sam bith air thoirt seachad aig an àm oir – mar bhatar ag innse dhuinn gu tric – bha "bruidhinn mhì-chùramach a' cosg bheathannan". Bha h-uile litir air a caisgireadh is nam biodh neach cho mì-shuimeil is gun ainmicheadh e càite robh e, neo càite 'n robh e dol bhiodh toll math san litir a bha toirt air falbh na bha sgrìobhte air an taobh eile den duilleig a bharrachd.

Bha cogadh ann is bha sin 'na reusan gu leòr airson a h-uile rud!

Co-dhiù cha robh mi dol a dh' fhanail na b' fhaide an dèidh gach nì a dheasachadh airson falbh agus chaidh mi do Bhaile-chaolais mar bha dùil 'am. Bha e nis 'nam bheachd obair neo-bhuan fhaighinn airson nan sia mìosan a bhithinn a' feitheamh. Bhiodh e math dol a choimhead mo pheathar co-dhiù.

An latha bha seo chunnaic i anns a' phàipear-naidheachd gun robh iad ag iarraidh clèireach (boireannach) airson oifis na Railway ann am Baile-Chaolais fhèin 's thuirt i "ma dh' fhaoite gum freagradh seo ortsa; nach bu chòir dhut fhiachainn co-dhiù". Dh' fhalbh mi suas don oifis airson a cho-sheallaidh is 's ann a fhuair mi air adhart glè mhath ach bha nighean às a' bhaile às dèidh na h-obrach cuideachd agus fhuair ise e – rud a bha coltach gu leòr 'nam bheachd-sa.

Ach, nuair leig e am fios seo thugam, thuirt am fear a chunnaic mi aig a' cho-shealladh gun cumadh e m' ainm 'na chuimhne is nan cluinneadh e mu obair sam bith eile den t-seòrsa a bhiodh freagarrach dhomh gum faighinn fios.

Cha tug mi mòran gèill don rud a thubhairt e, feumaidh mi ràdh shaoil mi nach robh ann ach facal a thuirt e thar a ghuaille, mar gum biodh.

9. Ag obair an Stèisean na Trèan L.M.S.

Cha robh dùil agamsa gun cluinninn an còrr mu dheidhinn obair na Railway ach latha na dhà an dèidh sin fhuair mi brath gun robh iad ag iarraidh boireannach airson obair anns an stèisean anns a' Chrianlàraich agus gun robh iad airson m' fhaicinn. Dh' fhalbh mi, latha fuar, reothta gheamhraidh 's a sneachd air an talamh, sìos don Chrianlàraich.

Nuair ràinig mi, chunnaic mi gur e stèisean bheag a bh' ann ach bha i co-aonaichte ris an stèisean eile bh' ann aig an L.N.E.R. (Junction) agus, leis an sin bha i gu math trang.

Dh' innis Maighstir-na-stèisean dhomh an obair a bha ri dhèanamh. Cha robh air an stèisean ach an dithis – e fhèin agus aon duine eile, a bha mise nis ris an àite aige a ghabhail – agus bha 'n obair ri dhèanamh eadar an dithis. Nuair bhiodh aon dheth bha aig an aon eile ri obair an dithis a dhèanamh.

Bha e cur beagan do dh' fhiamh orm ag èisdeachd ris oir bhiodh obair na h-oifis – a' reic nam bileagan-siubhail, is a' gabhail cùnntais air gach rud a bha falbh 's a' tighinn eadar na stèiseanan agam ri ghabhail os làimh nuair nach biodh esan ann – a bharrachd air a' phortaireachd 's a' glanadh a h-uile rud mun cuairt air a stèisean.

Thuig mi gu luath gur e aon rud nach robh Maighstir-na-stèisean seo ag iarraidh idir agus b'e sin boireannach a bhith 'g obair còmhla ris. Bha deagh thòiseachadh an seo!

'S e seann fhleasgach a bh' ann a bha cleachdte ris a h-uile riud a bhith dèante 'na dhòigh fhèin fad ùine mhòr, le fireannach ag obair dha 's bha nis a shaoghal a' dol bhith air a thionndadh bun-oscionn. Cha robh mòran bruidhne ann is cha bhiodh e cofhurtail idir a' toirt òrdain do bhoireannach. Bha mi a' tuigsinn mar bha e faireachdainn is bha co-fhulangas agam dhà anns an dòigh sin agus chuir mi romham nach toirinn dragh sam bith dha.

Ach thàinig sinn gu aondachd, ged a b' ann car aindeonach tha mi cinnteach a bha e, agus cha robh agam a-nis ach ri àite fuirich fhaighinn.

Dh' fhalbh mi còmhla ris an duine a bha mi dol 'na àite (agus a bha nis ri dhol dhan arm) feadh nan taighean anns a' bhaile bheag a bha 'n seo. 'S e taighean na Railway a bh' anns a' chuid mhòr dhiù (on 's e feadhainn a bha 'g obair air an Railway a bh' annta) ach glè bheag, mar bha taighean thuathanach 's a leithid sin is bha iad a-mach às a' bhaile. Cha robh gin aca ag iarraidh loidsear oir cha robh na taighean ach beag gu leòr airson an teaghlaichean fhèin.

Bha mi gun bhiadh gun deoch bhon ràinig mi – cha robh àite bìdh ri fhaicinn ach an taigh-òsda 's cha robh iarraidh agam air dol ann.

Bha mi cho sgìth agus cho fuar is gun tug mi suas dòchas is rinn mi suas m' inntinn gun tillinn air ais do Bhaile-chaolais air an ath thrèan.

Tha mi cinnteach nach biodh duilicheas sam bith air fear na stèisean nan dèanainn sin ach, fads a bha mi feitheamh na trèan thàinig boireannach a-staigh 'na cabhaig (tè a bha sinn aig an taigh aice roimhe) agus thuirt i rium "Cha leigeadh a nàire dhomh an rùm beag a bh' agam a thairgse dhut bhon bhiodh agad ri dhol troimh rùm na cloinne gu faighinn thuige, ach ma tha thu deònach a ghabhail is e do bheath' e". "Gabhaidh gu dearbh", arsa mise "agus gu math taingeil cuideachd".

Dh' fhalbh mise còmhla ris a' bhoireannach chòir agus b'e sin an taigh beag àlainn, glan. 'S e fear-obrach air an Railway bh' anns an duine aice agus bha ceathrar chloinne aca.

Bha mi cho sgìth agus nach robh mi 'g iarraidh ach a dhol 'nam laighe ach dhùisg mi 's mi ann a fiabhras, cho tinn 's nach b' urrainn dhomh mo cheann a thogail. Bha ceannach agamsa air an fhuachd a fhuair mi dol mun cuairt anns an t-sneachda – 's e flù a bh' orm!

Bha mi cho duilich an dragh a bha mi toirt don bhoireannach choibhneil a bha dèanamh a h-uile rud gus mo chuideachadh, eadhon mun d' fhuair mi eòlas oirre. Bha e cho mì-fhortanach mar a thachair ach cha robh àrach agam air.

Thuirt mo mhaighstir ùr rium an t-seachdain a ghabhail dheth airson faighinn na b' fheàrr agus nuair fhuair mi beagan na b' fheàrr thill mi do Bhaile-Chaolais gu m' phiuthar, is e b' fheàrr leam a dhèanamh na fanail an siud, ciatach is mar a bha iad rium, is gu cinnteach cha b' urrainn daoine a bhith na bu choibhneile na bhà iad.

Cha robh sùnnd orm airson rud sam bith nuair a ràinig mi is bha mi faireachdainn cho lag – eadar flù is eile bha 'n gnothach air drùdhadh orm. Thug mo phiuthar orm dol don leapa agus rinn sin feum mòr dhomh agus cuideachd gum b' urrainn dhomh bruidhinn mu dheidhinn mar thachair dhomh.

Thuirt mi rithe gun robh mi cinnteach nach rachadh agam air tilleadh air ais do Chrianlàraich – nach robh fiosam air thalamh gu dè thug orm smaointinn air a leithid do dh' obair anns a' chiad àite. Dè 'm fios a bh' agamsa air dad mu dheidhinn trèanaichean co-dhiù, nach fhaca trèan riamh 'nam bheatha gus an robh mi sia-blian' deug? Bha m' inntinn cho ìosal 's a ghabhadh e dhol ach cha do thuig mi gur e a flù bha gam fhàgail mar sin.

Mun robh an t-seachdain seachad bha mi faireachdainn gu math na b'fheàrr agus bha mi nis deònach an deas-chòmhraig a sheasamh le deòin.

Thill mi don Chrianlàraich agus chaidh fàilte choibhneil a chur orm an sin. Eadhon mo mhaighstir-stèisean bha aoidh air rium agus

thog mo chridhe; thuirt mi rium fhìn gu feumadh gun robh e dol a
dhèanamh a' chuid a b' fheàrr den chuid bu mhiosa, ach an uair a
chuala mi gun deach mo thaghadh air thoiseach air nighinn às a'
bhaile fhèin, a bha 'g iarraidh na h-obrach cuideachd, bha mi na bu
dòchasaiche buileach.

Fhuair mi leasan bhon fhear a bha mi dol 'na àite air gu dè mar
dhèanainn an obair is thug e mi air feadh an àite air fad. Thug mi
sùil gheur mun cuairt fad 's a bha e bruidhinn is mhothaich mi nach
robh gnothaichean cho glan 's a dh' fhaodadh iad a bhith ged a bha
esan ag innse na bha do dh' obair ri dhèanamh. Smaointich mi nach
robh e riamh aig cailleach-chosnaidh air neo gun atharraicheadh e a
bheachd. Cha sealladh i ach gu math ciar air a' bhun-tomhais aige.

Ach chùm mi mo smaointinnean agam fhìn agus thug mi taing
mhòr dha airson a dhraigh.

"Agus" ars esan san dealachadh "air na chunnaic thu riamh na
leig a' chlann a-staigh do na seòmraichean-feitheimh air neo
gabhaidh iad brath ort is bidh iad a' leum air na suidheachain a tha
mun cuairt 's ga salach, chan urrainn dhut an cumail fo smachd, tha
mi 'g innse dhut".

Thug mi 'n aire gun robh e fhèin ag èigheach 's a' trod riutha fad
na h-ùine. "Uil, uil" thuirt mi rium fhìn, "tha m' obair air a
gearradh a-mach dhomh gu deimhinn"!

Ach biodh e math na dona bha mi dol a dhèanamh mo dhìchill is
bha agam a-nis ri shealltainn ciamar a rachadh agam air. Bha mi nis
leam fhìn còmhla ris an àrd fhear agus chuir mi romham nach
toirinn adhbhar diùmbaidh dhà.

'S ann a fhuair mi air adhart fuathasach math, cha tug e riamh
òrdan dhomh ach shealladh e dhomh, gu socair, gu dè bha ri
dhèanamh is ciamar a dhèanainn e. Bha leabhar beag agam a' toirt
sìos a h-uile rud mar a dh' innseadh e dhomh agus cha robh mi fada
gus an d' fhuair mi gach nì furasda gu leòr a leanail; liostaichean
nam prìsean faraidh airson dhaoine, chloinne, chon is eile 's an
deifir eadar iad fhèin is feadhainn sochair (*privilege*), co-dhiù bu

chòir dhomh pìos a bhearradh à bileig gu h-àrd na gu h-ìosal – air rèir co air son a bha i – is mar sin. Bha leabhraichean ann airson gach rud a thigeadh 's a dh' fhalbhadh a chur sìos annta. Ach cha robh sin agam ri dhèanamh ach nuair bhithinn leam fhìn san oifis. Bha mi cur ùidh mhòr anns a h-uile rud.

Bha an stèisean agam ri chumail glan cuideachd, ùrlair, uinneagan, na gnothaichean pràis mar bha làmpaichean is pìoban 's a h-uile dad mun cuairt agus an sin, nuair thigeadh an trèan bha agam ris a' phortaireachd a dhèanamh nam biodh feum air ach 's e glè bheag dheth sin a bh' agam, ach nuair a bhiodh gnothaichean a' tighinn thar na trèan airson a chur suas thun na stèisean àrd dhèanainn sin . Bha e toirt 'nam chuimhne rud a leugh mi mu fhear, a bha 'g obair an stèisean mar seo, a bha ceap aige airson a h-uile obair a bh' aige ri dhèanamh is dh' fheumadh e falbh 'na leum airson a' chip a bha freagarrach a bhith air a h-uile trup. Ach cha robh agamsa ach an aon cheap. Fhuair mi èideadh snasail gorm agus ceap bileach leis na litrichean L.M.S. air. 'S e putain 'utility' a bh' air an t-seacaid mar a gheibhte daonnan a-nis, ach cha robh sin math gu leòr leis na daoine còire a bha 'g obair air an rathad-iarainn agus 's ann a thug fear dhiubh thugam seat dhe na seann phutain bhrèagha a bh' aca roimhn chogadh agus, nuair a chuir mi air an t-seacaid iad, thàinig orm coiseachd mun cuairt airson 's gum faiceadh a h-uile aon cho snog 's a bha iad – agus bha iad sin 's mi air an deàlradh suas mar an t-airgead fhèin.

Cho coibhneil 's a bha na daoine ud riumsa! Cha mhòr gun gabhadh e creidsinn dhomh. Bha mi 'nam choigreach dhaibh ach ghabh iad mi 'na measg mar gum biodh aon dhiubh fhèin agus chùm iad mar sin fad 's a bha mi ann. Tha na putain sin agus an suaicheantas L.M.S. agamsa a dh' ionnsaigh a là-diugh agus nuair a choimhdeas mi orra chì mi 'nam inntinn na daoine sin a bha uile cho coibhneil rium 's nach teid dìochuimhn' agam orra gu sìorraidh. Airson na cloinne, cha robh mise fada gus an d' fhuair mi mach gu dè cho 'mì-mhodhail' 's a bha iad. Nuair fhuair mi a h-uile rud air a ghlanadh gu m' mhiann chuir mi teine math air san t-seòmar-feitheimh mòr agus thuirt mi ris a' chloinn iad a thighinn a-staigh thun a' bhlàiths. Rinn iad sin agus, air m' fhacal, chan fhaca mise clann riamh na bu mhodhaile na iad. Bhithinn a' dèanamh còmhradh riutha nuair bhiodh ùine agam 's mi feitheamh na trèan agus bu toigh leam a bhith 'g èisdeachd riutha nuair thigeadh iad a chumail companaidh rium 's iad ag innse dhomh gu dè bha dol aca san sgoil – air neo a' cluich, gu modhail 'na measg fhèin. Cha do chuir iad riamh dragh orm agus an sin nuair a thigeadh an trèan san dorcha (oir cha robh solas ri shealltainn) is a rachainn sìos am 'platform' a dh' èigheach ainm an àite, air son 's gum biodh fios aig an luchd siubhail càite an robh iad, bhiodh guthan beaga eile ag èigheach comhla rium "Crianlàraich"!

Cha tuig mi idir ciamar a thug am fear a bha romham an droch ainm dhaibh – saoilidh mi gur e fhèin bu choireach le bhith daonnan a' trod riutha. Bu toigh leis a ghuth fhèin a chluinntinn tha fiosam.

Bhiodh daonnan teine mòr agam san oifis 's an geamhradh fuar ann (gu fortanach bha gual gu leòr againn) agus is ann a shuidhinn fhìn mar bu trice nuair bhithinn a' feitheamh 's an obair dèante. Thug mi thugam fighe airson nuair bhithinn 'nam thàmh. Chaidh mi fhìn agus bean an taighe, far an robh mi fuireach, suas don eaglais far an robh snàth cloimhe ga thoirt seachad airson fighe dhan fheadhainn a bh' anns a' chogadh agus fhuair mi snàth agus bioran fighe airson stocainnean a dhèanamh – agus cò bha cumail an iarna dhomh fad's a bha mi dèanamh bunag dhen t-snàth ach am fear nach fhuiligeadh a bhith ag obair còmhla ri boireannach!

Bha sinn a-nis a' faighinn air adhart air leth math. Cha robh mise a' gabhail gnothaich ris ach a' dèanamh m' obrach is bha esan a' leigeil leam sin a dhèanamh mar bu mhiann leam: cha tug e riamh òrdan dhomh. Nuair a chunnaic e nach d' fhuair e culaidh-eagail a chuireadh a bheatha troimhe chèile bha e gu math laghach agus smaointeachail rium.

Tha na bioran stocaidh sin agam fhathasd cuideachd mar chuimhneachan air a' chogadh. Rinn mi deagh obair leò is thugadh dhomh fhìn iad. Bha e toirt toiliche dhomh a bhith cumail na stèisean is mun cuairt dhi cho glan 's a ghabhadh dèanamh agus gu h-àraid na làmpaichean beaga snog pràise, bhiodh lainnir asda daonnan is iad an crochadh gu h-àrd taobh a-mach na stèisean. Is e ola-mhilis a bhiodh iad a' losgadh. Cha ghabhainn annas ged a b' fhiach iad airgead math an-diugh. 'S e solas maoth a bha iad a' toirt seachad oir chan fhaodamaid solas eile a shealltainn.

Cha robh mi a' faighinn na h-obrach doirbh idir, fhuair mi deagh ghnàth-cùrsa dhomh fhìn is cha robh neach a' cur draigh orm, bha mi taghadh àm a bha freagarrach airson a h-uile dad a dhèanamh. Agus an là thàinig am Fear Sgrùdaidh a shealltainn air a stèisean agus a mhol e gu mòr mar a bha mi a' cumail a h-uile rud cho tlachdmhor bha mo mhaighstir a cheart cho pròiseil 's a bha mi fhìn!

Bha deagh obair agam agus pàigheadh na b' fheàrr na bha riamh reimhid agam – trì notaichean san t-seachdain agus nan dèanainn seach-thìme gheobhainn sin a bharrachd. 'S e còig tasdain fhichead a bha mo bhiadh 's mo loidseadh orm, cha mhòr nach robh mi faighinn ann a seachdain de phàigheadh na gheobhainn ann a mìos aig a' chosnadh a bh' agam roimhe seo – agus bha m' aodach obrach agam ga fhaighinn a bharrachd, rud nach d' fhuair mi riamh bho 'chaillich' chosnaidh, 's ann a dh' fheumainn deifir aodaich a cheannach airson m' obrach acasan oir dh' fheumainn dreas dhubh agus aparan beag snasail geal agus ceap beag geal a bhith orm nuair bhithinn a' freasdal aig a' bhòrd air an fheasgair. Nach beag an t-iongnadh ged nach iarrainn mo dheagh obair a bh' agam a-nis fhàgail!

Cha robh ach aon rud a dh' fhairtlich orm fhaighinn leam agus b'e sin am bara mòr ceithir-chuibhleach a dh' fheumainn gus na gnothaichean bu truime a tharraing. Bha e ro throm dhomh sa' chiad àite agus tha mi cinnteach gun robh toil aige dha fhèin a bharrachd. A cheart cho cinnteach 's a dh' fhiachainn ri chur aon rathad thionndaidheadh esan air rathad eile. 'S ann bu chòir dhomh pleitichean le L orra a chur air gach ceann dheth oir cha robh dad sam bith sàbhailte nuair thòisicheadh e air gluasad – nam b'e mise bhiodh ga stiùradh co-dhiù.

Thàinig an gnothach gu ceann an latha a rinn e car a' mhuiltean orm agus a thuit poca buntàta dheth sìos air an rèile dìreach mun robh an t-àm aig trèan nam bathar tighinn a-staigh. Thagh e àm airson aichmheil thoirt asam! Choimhead mi mun cuairt fiach am faighinn cuideachadh ach cha robh gin dhe na daoine còire a b' àbhaist a bhith mun cuairt rim faicinn. Chunnaic maighstir na stèisein troimh 'uinneig gu dè thachair ge-tà agus dh' èigh e dhomh "Gu dè nis tha dùil agad a dhèanamh? Feumaidh tu ruith suas an rèile cho luath 's a rinn thu riamh agus sanais-ceò a chur air an rèile airson fios a thoirt don dràibhear gum bheil cnap-starra 'na rathad.

"Cha ruith 's cha choisich" thuirt mi ris "cha b'e mo choire-sa bh' ann ach coire a' chulaidh-uabhais bara tha seo nach toir gèill dhomh". Bha fiosam gur ann le spòrs a bha e oir is tric a chunnaic e mi fiachainn ris a' bhara mhòr a cheannsachadh is dh' fhalbhadh e fhèin leis an sin mar gum biodh uan beag socair aige, is tha mi cinnteach gun cluinninn na cuibhlean grànda a' toirt sgiamh beag a' fanaid orm anns an dol seachad.

Ach cha robh fios aige na bu mhò gun deach mo mheur às an alt 's mi fiachainn ri poca na dunach a chumail bho thuiteam air an rèile, ach cha robh e fada a' leum sìos a thogail a' phoca nuair a chunnaic e mar bhà. Gu fortanach 's e làmh cheàrr agam a bh' ann ach bha deurach innte fad greise 'na dhèidh sin.

Bidh mi cuimhneachadh uaireannan mar a bhithinn leam fhìn anns an stèisean air na h-oidhcheannan dorcha geamhraidh is mi gun eagal gun fhiamh a' feitheamh ri trèan nam bathar tighinn a-staigh aig amannan seachad air meadhon oidhche. Bha fiosam nach èireadh beud dhomh 's gun ach càirdean air fad mun cuairt orm. Nach sinn a bha fortanach sa' bhaile bheag seo far nach robh sinn ro fhada bho àitichean a fhuair greadadh bhon chogadh cheana. Bha sìth is fois againn is daoine a' dèanamh an obrach mar a b' àbhaist dhaibh ged thoirte 'n aire gu robh iad, an cothrom, na b' aosda na bha ann reimhid. Ach 's e deagh obraichean a bh' annta dhen t-seann ghnè a bha air an rathad-iarainn bho an òige. Bha iad a' gabhail pròis às an obair aca agus ann an èideadh na railway; mar a thubhairt mi cheana nuair a chaidh mi dh' obair còmhla riutha cha robh na putain robach 'utility' math gu leòr leo, dh' fheumadh iad an rud a b' fheàrr a bh' aca thoirt dhomh airson 's gum biomaid leis an aon èideadh obrach oirnn. Bha ainm aig muinntir na railway a bhith coibhneil, ciatach agus, gu dearbh, fhuair mise mar sin iad.

Bha 'n aon mheas aig na dràibhearan, is na bha cuideachadh nan trèanaichean a chumail a' dol, air na bha fo 'n cùram is bhiodh an t-einnsean is gach pàirt dheth a ghabhadh lainnir a thoirt às is e gu h-àlainn a' deàrrsadh. Bhiodh putain na seacaidean 's a suaicheantas 'nan ceap air an aon dòigh aca – agus agam fhìn gu deònach le m' sheann phutain 'ùra' bha deàrrsadh mar an t-airgead.

Feumaidh mi ràdh gu bheil mi smaointinn gur e droch rud a bh' ann nuair a chaidh an railway a stàit-shealbhachadh ann a 1947. Cha robh nis ùidh phearsanta innte tuilleadh is dh' fhalbh a' cho-fharpais, agus leis an sin a' phròis a b' àbhaist bhith ann. Chan e h-uile rud ùr is fheàrr daonnan idir. Is iomadh rud a dh' fhalbh leis na seann dòighean a thatar ag ionndrain a-nis – agus uaireannan daoine ag aideachadh gun rinn iad mearachd. Nach biodh e math nan tilleadh an nàbachd is an coibhneas a b' àbhaist? Bha boireannach còir às an Eilean Sgitheanach a' fuireach dlùth air a stèisean is nuair bhiodh an trèan anmoch chuireadh i a mac a b' aosda – bha e mu cheithir bliadhn' deug – a dh' fhaicinn gun robh a h-uile dad dòigheil 's nach robh eagal dhomh.

Is tric a bhios mi smaointinn air a nàdur choibhneil, chàirdeil a bh' aig na daoine ri chèile aig an àm ud. Cha do thachair mi air mì-choibhneas bho neach sam bith ach iad uile a' dèanamh an dìchill gus mo chuideachadh. Chan iongnadh ged a bha mi sona 'nam staid 'nam measg.

Ach 's e saoghal eile th' ann a-nis 's tha mi cluinntinn mu dheidhinn nan cunnairt mhì-nadurra tha tachairt air trèanaichean 's a leithid sin. Gu dearbh cha bhithinn cho socair 'nam inntinn ag obair air stèisean leam fhìn.

Cha deach eagal a chur annainn ach nam faiceamaid cuideigin 's e toirt a-mach an rathaid dha fhèin leis an daoraich, ruitheamaid mar na fèidh às a shealladh – agus 's e sin an aon rud a chuir dragh orm an uair ud cuideachd, nuair thàinig tramp don stèisean is e cur roimhe gun robh e dol a dh' fhanail san rùm mòr feitheimh nuair chaidh mi a ghlasadh suas airson na h-oidhche.

Chlisg mi gun robh daorach air 's nach fhaighinn a-mach e leam fhìn. Cha do smaointich mi air a' chòrr ach bha mo chridhe a' plosgadh, ged nach do leig mi orm e, nuair thàinig e staigh don oifis an sin. Mhùidh mi air gun cuirinn fios gu fear na Signals a bha 'm bocsa aig pìos beag sìos an rèile agus rachadh agam air 'bell' thoirt dha às an oifis. Dh' fhalbh e nuair chual' e sin ach rinn mise air an taigh cho luath 's a ghabhadh dèanamh dhomh mun atharraicheadh e inntinn. Cha robh 'n taigh ach tarsainn an rathaid bhon stèisean.

Nuair bhithinn aig an taigh air na feasgair dhorcha thigeadh clann an taighe a chumail companaidh rium, nuair thug mi làn chead dhaibh, ach cha chuireadh iad dragh orm mar a deònaichinn tòiseachadh air cur thòimhseachain còmhla riutha neo 'I spy' is 'Consequences' mar bhiodh aca. Cha robh telebhisean na rèidio aca aig an àm is cha robh riamh gruaman orra. Bha iad air an togail gu modhail, smachdail aig am pàrantan a bha gu dìcheallach ag obair airson an dachaigh a chumail. Bha fear an taighe ag obair air an railway is bha 'n sin an dithis aca a' coimhead às dèidh na talla bha 'sa bhaile far am biodh gach sean is òg a' dol do na dannsaichean còmhla 's a' cur seachad nan oidhcheannan geamhraidh gu sùnndach. 'S e còmhlan a bha fuathasach fhèin laghach a bh' annta is bha e còrdadh riumsa air leth math a bhith gabhail pàirt ann.

Nuair thàinig na làithean na b' fhaide 's an t-sìde na b' fheàrr bhithinn a' dol cuairtean a-mach air an dùthaich còmhla ri bean an taighe 's a' chlann. 'S ann daonnan a' coiseachd a bhiomaid ach bha cuideachd an cothrom againn air an trèan a ghabhail gu math saor nam biodh toil againn dol do na bùithean anns na bailtean mòra oir bha pas-rèile againn air a shon agus gheobhamaid a dh' àite sam bith air a railway agus air ais aon uair sa' bhliadhna gun phàigheadh idir. 'S e cuideachadh mòr a bha 'n seo.

Ach nuair a fhuair mi mo làithean-saora 's a bha toil agam a dhol dhachaigh air cuairt cha b' urrainn dhomh bhon a ghabh aon den chloinn anns an taigh am fiabhras-dearg. 'S e rud uabhasach a bha 'n sin aig an àm ud. Chaidh a nighean a chur air falbh don ospadal an Struighleidh is dh' fheumadh an taigh a bhith air a thoiteadh. An latha rinneadh sin chaidh sinn uile do thaigh màthair bean an taighe is bha sinn an sin gus a robh e sàbhailte dhuinn tilleadh dhachaigh.

Nuair a chaidh na pàrantan don ospadal a dh' fhaicinn na nighinn chan fhaodadh iad a faicinn ach troimh uinneig. Tha h-uile rud deifireach a-nis, chan eil e 'na chulaidh-eagail tuilleadh mar gu leòr eile dhen t-seòrsa a bha cho cunnartach sna bliadhnachan a chaidh seachad. Gu fortanach cha do ghabh gin eile san taigh a fiabhras.

Bha nis an t-àm a' tighinn dlùth nuair a bha 'm bàta aig an fhear a bha mi dol a phòsadh ri bhith tilleadh an ceann na sia mìosan ach cha robh iarraidh na dùil agam m' obair fhàgail. Bha mi ro mhath dheth far an robh mi airson a thoirt suas a-nis. Leis an sin chaidh mise do Ghlaschu nuair a thàinig an t-àm. Bha h-uile nì deasaichte ach ann an dòigh 'utility', eadhon am fàinne, ged is e òr (22 carat) a bh' ann bha e cho tana is cho ao-choltach ris an fheadhainn a b' àbhaist a bhith ann.

Bha cruinneachadh beag do chàirdean againn anns a' Bhath Hotel agus, am feasgar sin fhèin, thill an duine agam air ais don bhàta aige agus, an ath latha, thill mise gu m' obair anns a stèisean cuideachd. 'S e àm cogaidh a bh' ann agus sin mar bha gnothaichean!

Chaidh m' obair air adhart gun mòran tachartais. Bha nis an t-sìde air tighinn na b' fheàrr às dèidh geamhradh a bha gu math cruaidh, le sneachda domhain air an làr gu tric mar a bh' ann nuair a thàinig mi 'n toiseach. Bha mi gu math taingeil aig an àm sin don bhoireannach chòir, bean an taighe, a thug dhomh iasad do phaidhir bhòtainnean nuair bhithinn a' glanadh air falbh an t-sneachda is nach fhaighinn bòtainnean ri cheannach. Cha robh ann ach aon phaidhir eadar triùir againn is gheobhadh an aon bu riatanaiche aig an àm iad – i fhèin, a nighean a b' aosda neo mi fhìn.

Fad 's a mhair an droch shìde cuideachd chunnaic mi uair neo dhà trèan a' dol seachad air an stèisean, le daoine a' smèideadh dhomh às an dol seachad a bha e follaiseach dhomh gur e feadhainn à dùthchannan eile a bh' annta. Fhuair mi mach gur e trèanaichean sònraichte bh' annta, a' tarraing feadhainn a chaidh a shàbhaladh nuair chaidh na bàtaichean, anns a robh iad, an call air na sgeirean mun cuairt nan eileanan. 'S e cunnart mòr a bh' annta ann an droch shìde. Bhiodh na daoine bochd gu math taingeil gun d' fhuair iad am beatha leò co-dhiù ged a chaill iad a h-uile rud eile a bhuineadh dhaibh, agus thug mise taing seachad cuideachd gun do shàbhail iad. 'S beag fios a bh' agam, aig an àm sin, nach biodh an ùine fada gus an tachradh a leithid do m' chuid fhèin – 's nach b' ann airson a' chiad uair.

Ach co-dhiù latha eile 's an trèan air stad aig an stèisean mar a b' àbhaist chuala mi cuideigin ag èigheach dhomh air m' ainm ach nuair choimhead mi bha balach òg, tlachdmhor aig an uinneig nach do dh' aithnich mi idir agus is ann sa' Bheurla a bhruidhinn e rium. Nuair thuirt mi ris nach robh mi ga aithneachadh rinn e gàire is thuirt e rium gur e esan Jimmy, bràthair an duine agam. Bha fiosam glè mhath nach robh bràthair aig an duine agam leis an ainm-sa ach, rud nach robh fiosam idir is e gun do thog mo mhàthair-chèile an gille-sa bhon a bha e dà bhliadhn' deug a dh' aois agus b'e sin an gille laghach, bàigheil. Bha e nis, aig seachd bliadhn deug a' falbh gu muir airson a' chiad uair is e cho toilichte gun robh esan a-nis 'na dhuine, 's e falbh don chogadh. Nach iomadh gin dhe sheòrsa a dh'

fhalbh gu dòchasach aig an àm! Dh' iarr mi air tighinn a choimhead
orm a' chiad chothrom a gheobhadh e agus rinn e sin is, leis a nàdur
laghach a bh' aige ghabh gach aon a bh' anns an taigh tlachd dhe, is
gu h-àraid màthair bean an taighe. Is e seòladair a bh' anns an duine
aice fhèin (cha robh e beò a-nis). Chan iarradh i ach a bhith 'g
èisdeachd ris 's e ag innse dhi mar thachair dha bhon dh' fhalbh e
gu muir.

An ath turas a chunnaic mise an duine agam is ann an dèis don
bhàta air an robh e dhol an call. Thàinig i fo airm-theine nan
nàmhaid agus chaidh aon dhe na bomaichean troimh 'n eathar
dìreach air beulaibh rùm a' bhòsun. Cha do shàbhail e aon bhad de
dh' aodach (ach na bha air) na dad eile. Bha e gu math truagh gun
do chaill e uaireadair ùr, òir a bh' aige – ach fhuair an criù uile
sàbhailte aiste is sin an rud a bha cùnntais. Cha b'e fear a bh' ann a
bheireadh sgeula seachad mu rud sam bith is cha d' fhuair mi mion-
chùnntas riamh air mar thachair ach 's e seacaid a fhuaras bho
mhuinntir Chanada a bh' air nuair a thàinig e is b' fheudar dha a h-
uile rud eile a cheannach às ùr.

Cha robh e fada aig an taigh nuair thàinig brath ga iarraidh airson
bàta eile. Cha robh naidheachdan a' tighinn ach glè bheag is cha
robh fios idir càite an robh am bàta aig àm sam bith. 'S e àm
iomagaineach a bh' ann buileach ach cha dèanadh e feum do neach
sam bith a bhith smaointinn air tuilleadh 's a' chòir. 'S ann
bliadhnachan an dèidh a' chogaidh a chuala mise càite an robh e is
tha mi cinnteach nach cuala mi an sgeula uile riamh.

Bha mi bruidhinn ri mac peathar dha, Dòmhnall Lawrence, bho
chionn ghoirid agus is e esan a bha 'g innse dhomh gu leòr mu
dheidhinn is na cunnairt anns an robh e. Dh' ainmich e
gnothaichean is àitichean nach robh eadhon fios agam orra. Bha e
fhèin 'na bhalach òg aig an àm is ùidh mhòr aige anns gach bàta is
àite an robh bràthair a mhàthar, mar bha màdurra – agus cuimhne
anabarrach math aige a bharrachd, nach do thrèig e tre nam
bliadhnachan. Thug mi fa-near do Dhòmhnall, is gun e ach glè òg,

cho tùrail agus fiosrachail 's a bha e. Bha e cur ùidh ann an eachdraidhean is cor an t-saoghail aig aois cho òg is gun robh e cur iongnadh orm.

Is anns a' gheamhradh aig 1942 a fhuair mi teileagram ag ràdh "Tha h-uile nì gu math, na biodh cùram ort." Cha robh dòigh agam air fios fhaighinn co às a thàinig an teileagram mar a bha h-uile rud cho falachaidh. Is ann nuair a thàinig an duine agam a fhuair mi mach gu dè thachair. Bha e air bàta eile – soitheach ùr air a' chiad bhòidse do dh' Ameireaga, gun chargu is i ann an còmhlan ri bàtaichean eile dol an aon rathad ach thàinig fìor dhroch shìde is, le ise bhith aotrom gun chargu, chaidh i thar a cùrsa agus air sgeirean cladach a h-aon dhe na h-eileanan Barrach.

'S e sgiobair Sgitheanach a bh' oirre agus thuirt e ris an duine agam "Tha mi smaointinn gur ann air Miughalaigh a tha sinn". Ach fhreagair esan "Mas ann tha sinn caillte, ach tha mise cinnteach gur ann air Sanndraidh a tha sinn". Bha esan ag iasgach ghiomach nuair bha e òg 's b' aithne dha na cladaichean mun cuairt an eilein air fad. Gu fortanach bha e ceart agus is ann air Sanndraidh a bha iad ach nuair a bhuail an soitheach air an sgeir bhriseadh an druim aice is bha i 'n siud 'na dà leth – agus tha i an sin fhathast – tannasg dhen chogadh ghrànda – na dh' fhàg an fhairge dhi!

Thug e an taod-teasairginn gu tìr air an eilean agus fhuair gach aon aiste gu sàbhailte agus chaidh aig feadhainn dhiubh air pàirt bheag dhen aodach a shàbhaladh ach chaidh an rùm aige fhèin fodha mun d' fhuair e tilleadh uige is chaill e a h-uile nì, an dàrna turas taobh a-staigh na bliadhna!

Chuir iad seachad an oidhche sin air an eilean gun dìon sam bith gus an tàinig an bàta-teasairginn an ath mhadainn, an aghaidh gèile uabhasaich, gan toirt dheth.

Mar a thachair an uair eile, cha robh fada gus an robh e air falbh a-rithist gu bàta eile. Cha robh fuireach ri bhith ann is cogadh ri bhuannachd ge bith dè chosgadh e do mhac an duine!

Thàinig litir bho na màthraichean aig dà ghille òg a bha air a' bhàta chaidh a mhilleadh, a thoirt mòran taing don duine agam airson cho math 's a bha e dhaibh fad 's a bha iad còmhla ris. 'S ann don taigh, am Bàgh a' Chaisteil (anns na chuireadh na gillean gus am faigheadh iad air falbh air a' bhàta-aiseig) a thàinig a litir is chuir am boireannach a fhuair i fios gu m' dhachaigh, an Ceann-tangabhal far an robh an duine agam aig an àm.

Ged a bha esan sa' chunnart mhòr cha do dh' fhairich mise dad far an robh mi ged nach robh e cho fìor fhada air falbh bho àitichean eile a chaidh a sgrios.

Bha mi nis air bhith 'g ionnsachadh ciad-fhuasgladh (first aid) a bha riatanach dhuinn a bhith againn anns an obair a bh' agam a-nis, agus gu h-àraid aig an àm a bh' ann. Bha deannan againn ann còmhla is sinn ag ionnsachadh a h-uile seòrsa – eadar sàbhaladh beatha anns gach dòigh gu cur stìom-cheangail, air gach cumadh, ann an dòigh dhòigheil air creuchdan is brisidhean.

Fhuair mi teisteanas bho Chomann St John's Ambulance nuair chaidh mi airson a' cheasnaichidh aig deireadh a' chùrsa is bha mi glè thoilichte. Rachadh agam a-nis air cuideachadh thoirt seachad ann an èiginn le earbsa asam fhìn, aig àm sam bith. Bha cruinneachadh anns an talla nuair bha na teisteanais gan toirt seachad, agus dannsa 'na dhèidh.

Bha 'n ùine dol seachad is a h-uile là toirt rudeigin às ùr am follais. Bha eòlas agam a-nis air a h-uile rud a bha ri dhèanamh air an railway – mar a bha na 'points' rin tionndadh nuair bhite stiùradh pàirt dhen trèan gu rèile eile, nuair bhiodh pàirt den bhathar ri tighinn dhith is pàirt eile ga fhàgail oirre is a h-uile rud mar sin. Bha mo shùilean gam fosgladh ann an iomadh dòigh is bha mi 'g ionnsachadh fad na h-ùine.

Bha am fear sgrùdaidh a' tighinn bho àm gu àm a choimhead oirnn agus an sin thàinig e aon latha agus thug e mi an taobh is thuirt e rium, "Tha mi air a bhith cumail mo shùil ort bhon a thòisich thu an seo agus tha mi fuathasach toilichte asad. Tha thu nis a' dol a dh' fhaighinn àrdachadh agus faodaidh tu taghadh co-dhiù as fheàrr leat a dhol do bhocsa na Signals air neo nad fhreiceadan air an trèan."

Cha robh fiosam gu dè chanainn is bha e doirbh leam a chreidsinn gun robh mi a' faighinn a leithid do dh' onair – bha 'm fear a bha romham aig an aon obair fad nam bliadhnachan gun àrdachadh fhaighinn.

Bha mi glè thoilichte gun do rinn mi cho math ach bha beagan eagail orm cùram na Signals a ghabhail – is e obair chudromach a bh' ann agus na rachadh dad ceàrr agus an ùghdarras agam cha toirinn mathanas dhomh fhìn gu sìorraidh. B' fheàrr dhomh dèanamh cinnteach is an obair eile ghabhail. Smaointich mi gur e b' fheàrr dhomh dol 'nam fhreiceadan air an trèan is gum faighinn mun cuairt barrachd co-dhiù. 'S e sin bu docha leam air a h-uile dòigh.

Seo mar a bhà, an ath turas a chunnaic mi am fear sgrùdaidh dh' innis mi dha gun d' rinn mi suas m' inntinn is gum b' fheàrr leam obair na trèan. Cha bhithinn a' tòiseachadh anns an fhìor mhionaid idir ach bha 'n obair agam a-nis le cinnte is gheobhainn am brath nuair bhithinn gu tòiseachadh.

Ach goirid 'na dhèidh sin thuig mi gun robh a' chiad phàisde agam air an rathad ach bha ùine mhòr agam fhathast gus m' obair a chumail air. Dh' innis mi do bhean an taighe mar bhà agus chomhairlich i dhomh innse do mhaighstir na stèisean agus nam bithinn deònach tilleadh gu m' obair a-rithist gum biodh ise ro dheònach coimhead às dèidh a' phàisde is cothrom a leigeil dhomh sin a dhèanamh, is gum biodh an obair ùr na b' aotroma orm a bharrachd.

Dh' aondaich mi gu deònach ris a' chothrom a bha i toirt dhomh agus nuair chuala a maighstir e bha e fhèin a cheart cho aondach. Thuirt e gum biodh m' obair a' feitheamh orm le cinnte, is cha b' urrainn duine bhith na bu choibhneile na bha e rium – am fear a shaoil mi bha cho cruaidh nàduir nuair chunnaic mi 'n toiseach e. ha e doirbh leam a chreidsinn cho fortanach is a bha mi.

Ach, mu thrì mìosan an dèidh sin thuirt an dotair rium gum biodh e cunnartach dhomh fuireach aig m' obair na b' fhaide, gu feumainn gabhail gu socair a-nis fad na h-ùine agus deagh fhaire a thoirt dhomh fhìn.

Sin rud nach robh dhìth orm idir ach cha robh àrach air, dh' fheumainn feairt thoirt air. Dh' fhàg mis an t-àite 's na daoine a bha nis gu math miosail agam agus thill mi dhachaigh do Bharraigh – ach bha dòchas agam tilleadh air ais.

10. Air tilleadh do Bharraigh

Ach mu faighinn mo chas a chur air tìr am Barraigh bha agam a-nis ri cairt a shealltainn gun robh cead agam a dhol ann. Cead! airson a dhol dhachaigh, an cuala duine a leithid? Ach bha buidheann dhen R.A.F. suidhichte nis ann am Barraigh agus bhàtar a' dèanamh cinnteach nach fhaigheadh neach don eilean ach aon a bha làn chòir aige air bhith ann.

Nach e eilean beag m' àraich a dh'fhàs brìoghmhor air tàilleabh a' chogaidh! Ach, gu dearbh thugadh cuireadh dhaibh don eilean agus fhuair a h-uile duine air adhart fuathasach math còmhla riuth. Chan e mhàin gu robh iad a' dèanamh feum mòr do na marsantan, bha iad cuideachd a' toirt togail don t-sluagh le bhith càirdeil, cuideachdail 'na measg is cha robh iad fada 'nan coigrich dhaibh. Bhiodh iad a' toirt cuireadh seachad airson dol a choimhead na films a bh' aca fhèin sa' chàmpa a bharrachd, agus is e sin rud a bhatar a' luachadh gu mòr o nach robh a leithid de rud anns an eilean fhèin is an dealan gun tighinn fhathast ann.

Bha mo phiuthar, a bha fuireach an Sasann, a-nis air tilleadh do Bharraigh le a teaghlach òg 'nan 'evacuees' air tàilleabh a' chogaidh cuideachd. Bha 'n duine aice 'na sheàirdeant anns an arm is e fhèin air a dhol tro ànraidhean cruaidhe. Bha e air bhith anns an fhàgail chunnartach à Dunkirk. 'S e iasgair sgadain a b' àbhaist a bhith ann roimhn chogadh (agus e cuideachd san Reserve is bha e air aon den chiad fheadhainn a chaidh a thogail airson a' chogaidh) agus is e driftear bheag à Lowestoft, air an robh e eòlach, a shàbhail e bho chladach Dhunkirk. Ach cha robh e riamh cho math 'na shlàinte an dèidh na dh' fhuiling e aig an àm sin.

Cha deach agamsa air tilleadh tuilleadh don Chrianlàraich a dh' obair, a dh' aindeoin mo dhòchais oir cha robh mi idir ann an deagh shlàinte. Bha mi gu math taingeil às a' chuideachadh a fhuair mi aig an taigh. Bha feum agam gun robh mo phiuthar, Màiri, ann aig an àm ged bha gu leòr aice ri dhèanamh le a teaghlach fhèin is nach bu toil leam tuilleadh uallaich a chur oirre. Nuair bha mo mhac beag, Alasdair, bliadhna gu leth agus a thug mi e don ospadal anns an Oban, lean mi orm sìos don Chrianlàraich a-rithisd a choimhead air mo chàirdean agus fhuair sinn fàilte chridheil an sin. Bha a' chlann gu math deònach gum fanadh sinn ach tha mi smaointinn gur e am fear beag a b' fheàrr leò a chumail agus bha esan a cheart cho deònach fanail còmhla riutha-san.

Chaidh agam air taigh beag fhaighinn goirid dom dhachaigh fhèin airson aotromachadh air an dachaigh – agus 's e beag a facal air a shon! Cha robh ann ach cidsean agus aon rùm beag cadail agus cùil bheag eatorra airson gleidheadh gnothaichean an taighe. 'S e tughadh a bh' air cuideachd. Bha mi gu math toilichte fhaighinn aig àm nach robh taighean ach gann is bha e mòr gu leòr dhuinne.

Bha e ann a fìor fheum a phàipearachadh agus cha robh rathad air pàipear fhaighinn anns na bùithean. Ach, co-dhiù rùisg mi a mullach on 's e bu riatanaiche agus chuir mi pàipeir-naidheachd le glaodh do mhin flùir is uisge air is pheant mi e thairis le 'cuitean' (seòrsa de pheant uisge nach fhaicear idir a-nis) agus cha robh e coimhead cho dona a-nis.

Nuair a chaidh mi chadal bha mi cluinntinn straighlich os mo chionn agus thuig mi gun robh aoigh gun chuireadh agam. Bha 'n taigh cho goirid don fheadan anns an drochaid aig taobh a' bhàigh is gun robh mi cinnteach gur e rodan a bh' ann. Fhuair mi trap-rodan bho charaid agus sheat e fhèin dhomh e. An oidhche sin bha mar gum biodh each crùidheach os mo chionn is cha b' urrainn dhomh cadal is cha leigeadh an t-eagal dhomh dol a choimhead. Bha mi gu math taingeil nuair a thàinig mo dheagh charaid sa' mhadainn agus fhuair esan rodan mòr dubh anns an trap.

Bha mi air m' oillteachadh gum biodh an còrr ann dhiubh 's gun anns an taigh ach mi fhìn 's am pàisde beag ach cha chuala mi gin tuilleadh ach cha robh mi riamh a' faireachdainn ro chofhurtail ann 'na dhèidh sin.

Nuair a bha 'n cogadh seachad thill mo phiuthar 's an teaghlach dhachaigh a Shasann ach a ghràidh! cha b'e an taigh beag àlainn, glan a dh' fhàg i a bh' aice nis. Chaidh teaghlach à Lunnainn a chur ann, gun a faighneach agus cha b'e an seòrsa a b' fheàrr a bh' annta na bu mhò. Bha iad robach, coma gu dè 'n cron a dhèanadh a' chlann air cuid duine eile. Bha na bha 'm broinn an taighe air a bhriseadh is air a mhilleadh. 'S e gnothach maslach a bh' ann! Chan e mhàin sin ach cha ghabhadh soithichean na gnothaichean mar sin fhaighinn airson an cur 'nan àite. Fhuair iad sùim bheag shuarach bhon Riaghaltas airson cuideachadh – nach tigeadh goirid do phàigheadh a' cheathramh cuid dhe na chaill iad, gun ghuth air na bh' aca de ghlanadh ri dhèanamh. Bha e uile cho mì-cheart – ach cuin a bha cogadh ceart?

Uidh air n-uidh bha 'n saoghal a' tighinn air ais gu riaghailteachd ach cha do thill an t-iasgach sgadain riamh do Bharraigh mar a bha e, agus is e call mòr tha sin. Chan fhaca a' chlann a bha 'g èirigh suas am bàgh làn de dh' eathraichean na am beairteas a bha tighinn às a' mhuir mun cuairt an eilein 's an cosnadh a bha sin uile a' toirt don t-sluagh.

Cha robh obair a-nis ri fhaighinn san eilean is bha 'n òigridh a' fàgail a shireadh obrach air tir-mòr agus gu leòr dhiù a' pòsadh 's gun iad a' tilleadh don eilean ach aig àm fèill Ghlaschu, nuair thigeadh na fògarraich air ais, len teaghlaichean gu an eòlas – gu saorsa nan gleann 's nan tulaichean a bh' aca fhèin 'nan òige. Cò an t-eileanach nach do dh' iarr tilleadh air ais?

Bha mise fuireach am Barraigh daonnan a-nis – bha 'n duine agam aig muir agus bha e cho math dhomh fanail far am b' urrainn

dhomh cuideachadh a thoirt dom phàrantan a chuidich mise nuair
bha feum agam air agus a bha nis aosda. Bha m' athair gu h-àraid air
fàs lapach agus bha fradharc mo mhàthar air falbh gu mòr is b'
fheudar dhi falbh airson opairèisean air aon mu seach dhe a sùilean
airson cataract. Bha i faicinn na b' fheàrr nuair a thill i a' chiad uair
ach bha m' athair a' fàs na bu deireannaiche fad na h-ùine.

Mun aon àm thog co-chomhairle nan Siorrachd deannan de
thaighean fiodha, Suaineach goirid don phrìomh bhaile, Bàgh a'
Chaisteil, agus bha aon dhiubh air a chur a-mach dhomh ged nach
robh iad fhathast deiseil airson dol a dh' fhuireach annta. 'S e deagh
thaighean a bh' ann agus bha mi gu math fortanach gun d' fhuair mi
aon dhiù agus bhiodh a-nis dachaigh againn dhuinn fhìn ach goirid
gu leòr dom phàrantan is mo bhràthair gun toirinn daonnan
cuideachadh dhaibh. B' fheàrr le m' athair mi dh' fhanail a-staigh
còmhla riutha fhèin ach bhithinn an sin co-dhiù aig àm sam bith a
bhiodh feum aca orm.

Cha robh na taighean Suaineach ri maireachdainn ach deich
bliadhna, chuala sinn nuair bhatar gan togail, ach tha iad an siud
fhathast, an ceann còrr air da-fhichead bliadhna ach gun deach slige
ùr a chur orra bho chionn beagan bhliadhnachan. Chan fhaca mi iad
an taobh a-staigh ach tha an cumadh dìreach mar a bha e.

Chaidh sgoil mhòr a thogail, a thug thairis bhon sgoil às na dh'
ionnsaicheadh mise agus bha i gu math na bu ghiorra làimh do
Cheann-tangabhal na bha 'n t-seann tè. Bha gnothaichean a' tighinn
air adhart beag air bheag agus bha 'n t-àm aca.

Cha robh mo mhàthair fada air tilleadh nuair dh' eug m' athair
agus goirid às dèidh sin dh' fhalbh mi fhìn don ospadal an Inbhir
Nis far na rugadh mo dhàrna mac agus thug mi ainm m' athar air.

Aig an aon àm bha 'n duine agam air a rathad a' tighinn
dhachaigh nuair a fhuair am bàta air an robh e fios gun robh bàta
eile 'na h-èiginn is i air a bhith air a tolladh le mèinne, bho àm a'
chogaidh, a bha a' flodadh san fhairge. Anns a' mhionaid rinn
iadsan air an àite 'n robh an t-eathar agus chaidh aca air a chriù

a shàbhaladh ged a theab am bàta-sàbhalaidh aca fhèin a bhith air a tarraing a-staigh don toll mhòr a bha 'n cliathaich na tè eile.

Chaidh an duine agam a Bharraigh bhon a bha 'n gille beag eile còmhla rim mhàthair, is i fhèin gun mòran fradhairc is, ged a chuireadh fios air don ospadal is a dh' fhan e gus an robh mi air an taobh shàbhailte, cha do leig e dad air mu dheidhinn gu dè thachair dha – 's e mo phiuthar a leugh anns a' phàipear-naidheachd mun eithear a chaidh a shàbhaladh is a dh' innis dhomh e. Cha b' urrainn neach sam bith casaid a dhèanamh 'na aghaidh airson "Careless talk"! Fhuair e taing agus teisteanas bhon Mhinistry aig Transport airson a' phàirt a ghabh e anns an t-sàbhaladh seo – teisteanas nach robh a dhìth air, mar a thuirt e rium "B' fheàrr leam a dhol troimhn aon ànradh a-rithist na dhol air beulaibh na bha 'n siud an là ud". B' fheàrr leis gun iomradh thoirt air idir, cha robh fèin-spèis a dhìth air.

Bha mi gu math toilichte anns an taigh ùr, bha goireis ann nach robh agam reimhid idir 's ged nach robh an dealan fhathast san eilean bha gach nì deiseil air a shon anns na taighean seo is bha nis gas ri fhaighinn airson solas, còcaireachd is a h-uile rud mar sin. Bha eadhon inneal-fionnarachaidh agam gus am biadh a chumail ùr na b' fhaide. Nach e gnothaichean a bha coimhead suas dhuinn!

Bha deagh nàbaidhean agam air an robh mi eòlach, cuideachd – mo bhana-charaid a bha còmhla rium san sgoil agus a' chiad shèasan aig a' chutadh air aon taobh agus boireannach còir a bha 'g obair ann an cidsean na sgoile air an taobh eile.

Nuair bha 'n gille a b' òige, Dòmhnull, mu thrì bliadhna 's ann a dheònaich mi dhol don 'sgoil-oidhche' a dh' ionnsachadh obair-ceàirde oir bha ùidh riamh agam ann an dèanamh ghnothaichean mar sin. Cha bhiodh e ach aon oidhche san t-seachdain is thigeadh mo bhràthair a chumail sùil air an fhear bheag fad 's a bhithinn air falbh. Chuirinn esan daonnan don leapa ma falbhainn agus bha e deònach gu leòr dol innte nuair chluinneadh e gun robh mi dol don sgoil is cha chluinneadh mo bhràthair bìd bhuaidhe fad na h-ùine.

Feumaidh gun robh e smaointinn gur e rud math bh' ann dhomh dol don sgoil.

'S ann a dheònaich e fhèin a dhol innte aig ceithir bliadhna gu leth bhon bha a chompanach beag bho 'n ath doras a' tòiseachadh innte aig aois chòig bliadhna. Dh' aontaich mi dha seo on bha iad daonnan còmhla co-dhiù is dh' fhalbh iad còmhla a' chiad latha is thill e dhachaigh làn thoilichte. Ach an ath latha dh' fhalbh am fear eile às aonais is cha robh esan deònach a-nis a dhol innte idir ged bha mi fhìn a' falbh leis. "Chan eil mi dol tuilleadh innte" ars esan, 's gun na deòir fada air falbh; ach cò thàinig ach a' bhean-teagaisg aige, a bha fuireach glè ghoirid dhuinn agus e gu math eòlach oirre. "Tha mise falbh don sgoil leam fhìn" thuirt ise ris, "an tig thusa còmhla rium?". 'S esan a dhèanadh sin. Thug i leatha air làimh e 's cha chuala mise guth tuilleadh an aghaidh na sgoile.

Bha gaoth an Atharraiche follaiseach air iomadh dòigh a-nis. Bha tuilleadh de luchd-teagaisg agus dòighean ùra ann is bhiodh aig a' chloinn ri fanail san sgoil gu còig-bliadhn'-deug.

Bha bràthair mòr Dhòmhnuill, Alasdair, a-nis air a dhol suas thun nan clasaichean àrda is e faighinn air adhart fuathasach math nuair a bhuail euslainte e an dèis opairèisean airson 'tonsilitis' is bha e greis mhòr a dhìth na sgoile air a thàilleabh ach, gu fortanach, fhuair e thairis air mu dheireadh, thill e don sgoil is cha robh e fada gus na ghlac e suas air na chaill e – mar thuirt a maighstir-sgoile rium nuair dh' iomraidh mi ris gun do chaill e tòrr a bha riatanach, 's gun e ach air ùr thòiseachadh air Laideann 's a leithid sin is gun robh e cur dragh air, "Cha leig e leas eagal sam bith a bhith air, tha fios agamsa nach bi e fada ga dhèanamh suas" thuirt e rium. Dh' fhàg e an sgoil aig còig bliadhn' deug agus chaidh e dh' obair don Teilefon Exchange. Bha mi taingeil nach do dh' iarr e falbh gu muir is fiosam gum b'e sin a mhiann mar a' chuid mhòr dhe na gillean òga.

Chaidh Talla bhrèagha ùr a thogail ann am Bàgh a' Chaisteil an àite na tè bhig iarainn, a bha nis air meirgeadh, anns an robh sinn a' cur seachad iomadh oidhche chridheil aig cèilidhean is dann saichean nar n-òige. Bha 'n seo pìos beag eile dhen t-saoghal sin air falbh! Bha mi fhìn air a' Chomataidh a bha cruinneachadh an airgid airson na tè ùr a chur air bonn agus chòrd e rium. Bha h-uile aon cho deònach cuideachadh 's nach robh e fada gus an d' fhuaras an t-sùim a dh' fheumte air a son. Ach bha mi smaointinn gum bu bhochd nach robh i ann nuair bha am barrachd sluaigh san eilean agus muinntir an iasgaich ann cuideachd.

Bhiodh mo bhràthair fhathast a' cluich a' chiùil aig na dann-saichean mar bha e san t-seann talla agus bhiodh an fhidheall aige anns na cèilidhean. Rinn e fhèin fidheall agus bha i brèagha oir bha làmh ghrinn aige airson a leithid sin. 'S e duine fuathasach ceòlmhor a bh' ann, b'e a mhiann a bhith cluich a h-uile seòrsa de dh' innealan-ciùil. Cha do dh' fhiach e riamh a' phìob-mhòr cho fad 's tha fios agam ach bha e math air an fheadan mar an còrr. Cha robh an dachaigh riamh gun cheòl aige fad 's a bha e beò.

Cha robh san taigh a-nis ach e fhèin 's mo mhàthair ach bhithinn fhìn 's na gillean daonnan suas is sìos a h-uile latha. Cha robh mòran obrach ga dhèanamh a-nis mar a b' àbhaist nuair bha 'n teaghlach còmhla ach rachadh mi fhìn 's mo bhràthair fhathast a ghearradh beagan mòine ged nach robh feum cho mòr air a sin na bu mhò.

Anns a' bhliadhna 1958 thàinig criù telebhisean do Bharraigh a dhèanamh film air an leabhar 'Rockets Galore' a sgrìobh Sir Compton MacCoinnich às dèidh an leabhair eile. 'Whisky Galore' a sgrìobh e agus a chaidh a dhèanamh 'na film ann am Barraigh mu dheich bliadhna roimhe sin. Bha Sir Compton a' fuireach ann am Barraigh fad 's a mhair an cogadh.

Thog e taigh mòr àlainn ann an Eòiligearraidh air an tug e an t-ainm 'Suidheachan' agus chuala mi aig an àm gu robh uinneag ann a bha air a cèiseadh mar gum biodh dealbh leis cho àlainn 's a bha 'n sealladh, leis fhèin, a chitheadh e troimh'n ghlainne aice.

'S e duine fuathasach cuideachdail a bh' ann is rinn e gu leòr de chàirdean a-measg muinntir an eilein – a bharrachd air sgrìobhadh

mu gu leòr de dh' uisge-beatha agus de rocaidean. An dèidh a'
chogaidh dh' fheumadh e tilleadh gun dòigh-beatha a chleachd e,
on 's e duine urramach a bh' ann, ach is bochd gun deachaidh an
taigh brèagha ud a reic oir an ath turas a chunnaic mi e 's e sealladh
de thòrr shligean air am briseadh a chunnaic mi air a bheulaibh
nach robh idir cho tlachdmhor ged tha fios gur e rud feumail a bh'
ann.

Co-dhiù nuair thàinig muinntir na films air an turas seo cha robh
e mar annas sam bith do mhuinntir an eilein agus, gu dearbh, 's e
toileachadh a rinneadh riutha oir dhèanadh iad deagh fheum le
airgead a thoirt ann a bha 'n t-eilean gu math riatanach air. Thàinig
an t-oifigeach a bha faighinn àite fuirich airson na bha 'n co-
cheangal ris a' ghnothach, don taigh agam fiach an gabhainn
feadhainn dhe na h-actairean ach cha robh mi idir ro dhèidheil air
seo a dhèanamh aig an àm oir cha robh fiosam air dad mun
deidhinn. Thuirt e rium nach robh e furasda àite freagarrach
fhaighinn dhaibh is gun robh fios aige gum biodh iad cofhurtail
agamsa. A-nis cha robh mi cho baoth is nach do thuig mi gur ann gu
mhathas fhèin a bha na briathran milis seo ach, bhon 's e fear a
mhuinntir an eilein fhèin a bh' ann, dh' aontaich mi dithis a
ghabhail mur a b' urrainn dha àite idir fhaighinn dhaibh. Dh'
fhalbh e agus thill e a dh' innse dhomh, gu truagh, nach robh àite ri
fhaighinn do dhithis a bh' aige fhathast. "Och seadh ma-tà
gabhaidh mi iad", thuirt mi agus mun do sheall mi thugam na
bhuam bha an dithis actairean aig mo dhoras.

B'e sin na daoine ciatach a chuir cho beag draigh orm 's a b'
urrainn dhaibh agus a bha cho taingeil airson na bha mi dèanamh
dhaibh. Nuair bha 'm pàirt acasan seachad thàinig dithis eile 'nan
àite is mar sin gus an robh sianar agam, dithis is dithis mun seach.
Bhatar a' pàigheadh nan rumannan gus an tigeadh an ath dhithis
fad na h-ùine. Chan e mhàin sin ach fhuair mi a bhith 'nam 'extra' –
mi fhìn agus mo nàbaidh, agus chòrd e ruinn air leth math; bha e
mar gum biodh sinn air saoghal eile airson greise. Bha sinn a'

Port beag anns a' Bhàgh a Tuath fon rathad sìos do dh' Eòiligearraidh.

Bho mhullach a' Chnuic-fhraoich, a' sealltainn Cheann-tangabhal 's na Horgh is a-mach am bàgh gu Maol-Dòmhnaich (agus feannagan bhuntàta).

faighinn cothrom nan 'rushes' aig a film fhaicinn is bha e gu math
ùidheil bhith faicinn mar a bha e dol air adhart.

Thug aon dhe na h-actairean dhomh an sgrìobhadh aig a film, às
an robh e fhèin ag ionnsachadh a phàirt-san, mar chuimhneachan
nuair bha e falbh agus chuir fear eile thugam an leabhar 'Rockets
Galore', le ainm fhèin agus ceud taing ga thoirt dhomh, an taobh a-
staigh dheth – bha mi duilich a chluinntinn gun do dh' eug esan –
Carl Jaffe, agus sean duine còir eile, John Laurie a bha daonnan
cùirteil coibhneil rium – mar bha a h-uile aon aca – bha mi toilichte
gun chuir mi eòlas orra.

Nuair thàinig mo mhac, Alasdair, gu aois sia bliadhn' deug
dheònaich e dol don Cholaiste an Grianaig a dh' ionnsachadh a
bhith 'na oifigeach rèidio. Cha do bhac mi e oir bha fios agam gur e
seo bu mhiann leis ach bha mi 'n dòchas nach dèanadh a' mhuir a
dhòigh-beatha mar a rinn i athair. Fhuair e air adhart math ach
nuair bha e ullamh ann feumaidh nach robh e cho deònach a
dhachaigh fhàgail fhathast oir ghabh e obair a' dràibheadh bhan a'
Cho-op agus thug mise taing seachad; bhiodh e nis aig an taigh
airson greis eile agus 's e cuideachadh mòr a bh' ann dhomh.

Cha do dhiùlt mi e na bu mhò nuair a thuirt e gun robh e dol gu
muir nuair bha e beagan na b' aosda. Bha fios agam gun robh a'
mhuir 'na fhuil is gu feumadh e dhol uice 's nach robh còir agam air
a chumail air ais. Co-dhiù cha robh e falbh a-nis ùr às a nead mar
bha na h-uiread dhe na gillean, leis na reultan 'na sùilean, a'
smaointinn gun robh h-uile rud a b' fheàrr san t-saoghal ann a'
falbh gu muir 's an sin a' tuigsinn nach e croc òir a bha idir aig
deireadh na bogha-froise.

'S ann a ràinig Alasdair New Zealand far an robh mo bhràthair
fhèin a' fuireach. Bha mise trì bliadhn' deug nuair bha mo
bhràthair, Dòmhnull, a-staigh mu dheireadh. Bha e fhèin agus
nàbaidh dhuinn ann an Companaidh bhàtaichean New Zealand
agus thàinig iad a Bhreatann airson bliadhna, ach nuair a thill iad do
New Zealand cha tàinig iad air ais tuilleadh. Phòs an dithis aca thall

an sin 's cha robh an cothrom faighinn às cho furasda 's a tha e 'n-diugh. Le teaghlach beag gan togail, cha robh rathad aig mo bhràthair air tilleadh, ged a bha uile dhòchas daonnan gum faigheadh e, is cha d' rinn e dìochuimhn riamh air sgrìobhadh gu tric gu m' mhàthair.

Mar do rinneadh toileachadh ris a sin. Bha e mar gum biodh e air a dhol dhachaigh le mo bhràthair a' bruidhinn na Gàidhlig ris nach robh idir aig an teaghlach aige fhèin. Tha mi smaointinn gun deònaicheadh Alasdair fanail thall còmhla ris. Sgrìobh e thugam a dh' innse dhomh cho fìor mhath 's a chòrd e ris agus cho brèagha, glan 's a bha New Zealand.

Bidh mi smaointinn uaireannan rium fhìn gur e rud a bha 'n dàin tachairt a bh' ann oir cha robh e fada 'n dèidh sin nuair a dh' eug bean mo bhràthar an dèis opairèisean shìmplidh a bhith aice is, an taobh a-staigh na bliadhna dh' eug esan cuideachd. Mar a biodh Alasdair air falbh a-null nuair a rinn e cha bhiodh e air bràthair a mhàthar fhaicinn riamh. Bha e fhathast gun tighinn dhachaigh bho mhuir nuair a dh' fhàs mo mhàthair fuathasach tinn agus dh' eug i mun d' fhuair Alasdair dhachaigh. Bha duilicheas mhòr air nach fhac e beò i oir bha meas mòr aige air a sheanmhair mar a bh' aig a bhràthair cuideachd. Bha i cho math dhaibh daonnan.

Bha Dòmhnull a-nis còig bliadh 'n deug is e fàgail na sgoil agus a' dol air adhart don cholaiste. Bha mi dol a bhith leam fhìn a-staigh nuair a dh' fhalbhadh esan agus is ann a smaointich mi, bhon a bha an cothrom agam a-nis, gun togainn orm gu tir-mòr airson greise agus gum faighinn obair. Dhèanadh e feum dhomh bho nach robh rathad agam air an dachaigh fhàgail fad iomadh bliadhna. Dh' innis mi seo do m' phiuthair, Màiri, a bha 'n Sasann agus is ann a thuirt i rium "Carson nach tig thu nuas a Shasann. Chan eil dad gus do chumail agus gheibh thu obair is bidh na gillean aig an taigh còmhla riut". Smaointich mi air an seo agus, ged a bha e doirbh leam mo bhràthair eile fhàgail, thuig mi gur e falbh a b' fheàrr dhomh a dhèanamh. Bha Alasdair deònach a' mhuir fhàgail agus dol air a' phoileas agus 's e fìor dheagh rud a bha 'n sin leam.

11. A' fàgail Bharraigh

Nuair thàinig an t-àm Barraigh fhàgail bha e gu math duilich leam a bhith fàgail nan càirdean uile' 's e mo bhràthair bu duilghe leam, an robh mi ga thrèigsinn? Thuirt mi ris e thighinn còmhla ruinn nuair a gheobhainn dachaigh dhuinn fhìn – Bha sinn a' dol a thaigh mo pheathar an toiseach – ach cha ghealladh e sin idir is chunnaic mi gun robh e ceart oir bha 'n taigh 's am fearann aige 's cha b' urrainn dha sin fhàgail.

Dh' fhàg sinn Barraigh anns a' Ghearran, àm fuar, aognaidh is gu dearbh bha mo chridhe gu math trom a' falbh. 'S ann leis a' phlèan a dh' fhàg mise agus bha na gillean a' tighinn a-mach leis a' bhàta-aiseig oir bha 'n càr aig Alasdair, leis an robh e dol gar toirt sìos do Shasann. Sin a' chiad uair a rinn e an t-astar mòr a bha sin agus bha e gu math sgìth mun d' ràinig sinn 's e dràibheadh fad na h-oidhche dhorcha is gun e eòlach air an rathad.

Dh' fhan sinn an taigh mo pheathar fad trì mìosan gus an d' fhuair sinn dachaigh dhuinn fhìn agus bha feum againn air a' choibhneas a fhuair sinn an sin agus an cothrom fhaighinn coimhead mun cuairt.

Bha feum agamsa air mo dheagh mhac a thug a leithid de chuideachadh dhomh daonnan. Fhuair e obair gu luath, airson an ùine bhiodh e feitheamh gum biodh an t-àm ann a thigeadh fios air bhon Phoileas. Chaidh am fear òg don sgoil anns a' bhaile airson teirm agus an sin chaidh e don Cholaiste ann an Ipswich – a' falbh air an trèan sa' mhadainn agus a' tighinn dhachaigh feasgar anmoch. Dh' fhiach mi fhìn a dha neo trì do sheòrsaichean obrach mun d' fhuair mi an rud a bha mi 'g iarraidh. An toiseach chaidh mi do dh' fhactaraidh far an robh mi pacadh chearcan mar a gheibh sinn iad sna bùithean a-nis 'deiseil airson na h-àmhainn' (mas fìor iad fhèin, ach cha chanainn-sa gun robh iad deiseil) agus bha am fàileadh a bh' ann na bu mhiosa na bha 'n cutadh riamh. Bha e gam fhàgail tinn fada mun ruiginn an t-àite ach dh' fhan mi ann gus am faighinn coimhead mun cuairt. An sin fhuair mi obair anns an ospadal an seo – is e fìor dheagh ospadal a th' ann ged nach eil e ro mhòr. Thòisich mi 'n toiseach 'nam shearbhanta ann ach ann an ùine ghoirid chuir iad mi suas do na 'wards' 'nam bhean eiridnich (*auxiliary*). Bha seo gu math na b' fheàrr is bha e còrdadh rium math agus is ann a dh' fhaighnich an àrd tè os cionn chàich dhomh am bithinn deònach a dhol airson tuilleadh ionnsachaidh airson teisteanas S.E.N. fhaighinn bhon bha mi sealltainn a bhith eòlach air an obair-sa. Thug mi taing dhi agus dh' innis mi dhi gun robh gu leòr de dh' eòlas agam air bhith coimhead às dèidh dhaoine tinn ach gun robh mi a-nis ro shean airson dol air adhart na b'fhaide. "Chan eil thu", thuirt i "is e do sheòrsa tha mi 'g iarraidh". Dh' innis mi dhi mar bha mi air mo shuidheachadh agus nach b' urrainn dhomh mo dhachaigh fhàgail airson sin co-dhiù, agus gur e bha mi 'g iarraidh obair oidhche a dh' fhaodainn a bhith dhachaigh ann an àm airson mo mhac fhaighinn air falbh sa' mhadainn air an trèan agus obair an taighe uile dhèanamh feadh an latha.

Ach thuirt mi rium fhìn "tha gnothaichean a' coimhead suas – siud a' chiad uair a fhuair mi mo mholadh airson m' eiridinn" – agus thog sin m' inntinn cuideachd.

An sin chuala mi gun robh 'Bird's Eye' ann a Lowestoft ag iarraidh bhoireannach airson obair oidhche anns an fhactaraidh aca agus 'sann a chaidh mi ann còmhla ri deannan de bhoireannaich eile sa' bhaile a bha dol gun cho-sheallaidh. Fhuair sinn an obair agus bha carbad ga chur gar toirt ann is às.

Bhiodh sinn a' tòiseachadh obrach aig deich uairean a dh'

oidhche agus bhithinn dhachaigh sa' mhadainn ann an deagh àm airson a h-uile rud a dheasachadh gu m' mhiann. Seo an rud a bha dhìth orm. Cha robh mi riamh ag iarraidh mòran cadail 's bhiodh e fuathasach freagarrach dhomh.

Bha deifir mòr eadar bhith 'g obair aig 'Bird's Eye' seach an t-àite chearc aig an robh mi 'n toiseach. Bha èideadh obrach air a thoirt dhuinn is bha h-uile nì cho glan, cùbhraidh. Thòisich mi aig a' bhonn, a' dèanamh bhocsaichean is lean mi orm suas bho àite gu àite gus an d' fhuair mi eòlas air a h-uile seòrsa obrach a bh' anns an togalaich – bha seo airson 's gun rachadh aca air neach a thoirt à àite sam bith airson obair sam bith ann an iomlaid na mionaid.

Bha mi nis air mo sheann eòlas air 'denes' Lowestoft ach 's e chuir a smaointinn orm an deifir bun-tomhais a bha 'n seo seach an rud a chleachd mi nuair bha mi òg. Chan fhaodadh duine sam bith toirt oirnn ar làmhan a bhogadh am picil reòta a-nis. Cha b' ann mar chreutairean gun fhiù a' faighinn òrdan bho bhodachan beag grànda gun iochd a bha sinn idir. Dh' fhalbh an latha sin – is bha e cho math gun dh' fhalbh!

Bha deagh phàigheadh stèidhichte againn ach gheobhamaid barrachd air rèir cho math 's a bha sinn gu obair. Seo far an tàinig obair an sgadain a-staigh gu math feumail dhomh. Dh' ionnsaich e dhomh mo làmhan a ghluasad gu luath, a' cur air leth an deifir meudachd èisg. Bha mi glè riaraichte às an obair is bha i freagairt orm.

Bha mi gu math fortanach gun robh obair agam cuideachd nuair chaidh 'Union' na maraichean air stailc is a b' fheudar dhan duine agam a bhith còig seachdainean air tìr is gun e faighinn ach trì notaichean as an t-seachdain bhon 'Union' fad na h-ùine sin. Bha e gu math ìosal 'na inntinn oir chan fhaigheadh e obair a sheòrsa sam bith air tìr bhon a bha e air stailc (ged nach b' ann dha dheòin).

Ach, mar a b' fhaide bha e aig an taigh is ann bu deònaiche bha e air fanail, shaoil mi, agus nuair thàinig an stailc gu crìch is a fhuair e brath bhon Chompanaidh-luingeas tilleadh gun bhàta aige a-rithist bha e duilich a' fàgail a dhachaigh. Thuirt e rium gu feumadh e falbh bhon thug e dhaibh fhacal gun tilleadh e ach, nuair a bhiodh am bhòidse seachad gum biodh e tilleadh dhachaigh agus a' faighinn obair air tìr air neo bàta seachdain (mar a theireadh iad) a bhiodh e daonnan goirid don taigh – Chan eil fiosam gu dè thachair ach cha b'e sin a thachair idir. Tha mi creidsinn nach eil e furasda dòighean beatha atharrachadh nuair bhitheas duine aig an aon obair fad a bheatha.

Chùm mise orm ag obair far an robh mi ach, an ceann greise stad na boireannaich a bha còmhla rium, aon às dèidh aon gus an robh mi a-nis a' falbh do Lowestoft leam fhìn air an trèan bhon sguir an carbad a thighinn gar n-iarraidh nuair nach robh falbh ach dithis no triùir. Bha nis an t-sìde air fàs gu math fuar sa' gheamhradh agus, aon mhadainn is mi air tighinn thar na trèan is mi dol tarsainn air an rèile airson faighinn dhachaigh, thuit mi air an reothadh air an rèile agus chaidh mo ghoirteachadh. Chaidh mi dhachaigh 's mi fiachainn ris an fhuil a stad a bha struthadh sios m' aodann is chlisg mo mhac a b' òige 's e dèanamh deiseil airson falbh air an ath thrèan. Bha e staigh leis fhèin is Alasdair aig obair. Dh' fhalbh e 'na leum a chur brath gu mac mo pheathar is thàinig esan agus thug iad mi don ospadal far na chumadh mi air eagal 's gun robh criothnachadh sam bith dèante on bhuail mo cheann agus ghearradh mo shùil. Ach fhuair mi dhachaigh an ceann beagan uairean nuair thàinig an dotair 's a thug e dhomh anti-tetanus 'nam ghàirdean bhon a chaidh mo ghearradh.

Nuair chuala Alasdair mar thachair dhomh thuirt e rium gun robh fìor àm agam sgur a dhol a dh' obair do Lowestoft air an oidhche leam fhìn mun èireadh na bu mhiosa dhomh agus dh' innis e dhomh gun cual' e gun robh dachaigh airson seann daoine dol a bhith air a thogail anns a' bhaile-sa agus gum biodh e na b' fheàrr dhomh nam faighinn obair ann nuair a dh' fhosgailte e. Dh' aontaich mi leis gum biodh e gu math freagarrach agus, nuair a bhatar ag iarraidh a' bhuidheann obrach air a shon chuir mi a-staigh m' ainm agus fhuair mi a' cheart obair a bha dhìth orm, obair na h-oidhche.

Chùm mi air dol gu 'Bird's Eye' gus an robh 'n t-àm agam tòiseachadh san Dachaigh. Bha e dol a bhith na b' fhasa dhomh gun teagamh, cha bhiodh agam ri pàigheadh air an trèan airson faighinn gu m' obair, anns a' chiad àite, rachadh agam air coiseachd an seo ged a bha e còrr is leth-mhìle bhuam cha chuireadh sin dragh orm.

Cha robh mòran sheann daoine ann an toiseach agus bha sin math. Bhithinn ann leam fhìn fad na h-oidhche – dà oidhche air is dà oidhche dheth mu seach – agus tè eile a' dèanamh nan oidhcheannan a bhithinn dheth – agus, nam biodh dad fada ceàrr feadh na h-oidhche rachadh agam air an aon dhen àrd fheadhainn a bhiodh air 'èigh' a dhùsgadh leis an 'intercom'.

Bha obair gu leòr ri dhèanamh a bharrachd air coimhead às dèidh nan euslainteach ach is e seo an obair a bha mi 'g iarraidh agus bha mi toilichte a faighinn.

Uidh air n-uidh lìon an Dachaigh gus an robh sia-deug air fhichead agam fo m' chùram agus bha feadhainn dhiubh gu math deireannach is an cuimhne air falbh. Bhiodh iad a' cur truas orm is gun fios aca càite an robh iad. Ach bha iad a' faighinn a h-uile coibhneas a shealltainn dhaibh oir 's e boireannaich thuigseachail, a' chuid bu mhò dhiubh le teaghlaichean, a bh' ann airson coimhead 'nan dèidh.

Bhithinn a' dèanamh còmhradh ris an fheadhainn a bha 'n cuimhne math, ged nach robh an cothrom coiseachd ach deireannach, agus dh' innseadh iad dhomh mun deidhinn fhèin 's an teaghlaichean is bha e dèanamh feum dhaibh gun robh iad fhathast ann an àite a bha ùidh aig daoine annta.

Ach mar a bha 'n ùine dol seachad is ann bu deireannaiche a bha na h-euslaintich a' dol agus bu truime bha 'n obair a' fàs air a h-uile dòigh agus is ann nuair bha mi còrr agus sia bliadhna ann a chaidh mo dhruim a ghoirteachadh gu dona.

Anns a' mhadainn nuair bheirinn dhaibh an cupa tì thòisichinn air cuideacheadh an fheadhainn nach b' urrainn an aodach fhèin a chur orra ach a bh' ann an cothrom èirigh. Bha mi gu bhith deiseil nuair a ràinig mi duine mòr trom agus, an dèis dhomh aodach fhaighinn air bha mi ga chuideachadh faighinn thar na cathrach air an robh e agus a chur air cathair chuibhleach anns an rachadh agam air a thoirt thun a' bhùird bracaise. Ach anns an togail bhon chathair rinn e, gu grad, grèim bàis air cùl na cathrach is bha mi togail e fhèin 's a' chathair mun robh fios agam air. Dh' fhairich mi mo dhruim a' falbh is bha mi ann an dòrainn uabhasaich. Dh' èigh mi airson cuideachadh is bha tè dhen fheadhainn a bha tighinn a-staigh airson obair an latha dìreach air tòiseachadh is thàinig i 'na ruith gam chuideachadh. Thugadh dhomh pileachan a lùghdaich-eadh an cràdh is an ceann greise chaidh e na b' fheàrr. Chunnaic mi 'n dotair is thug e dhomh tuilleadh phileachan a chumadh a' dol mi. Bha mi mar sin fad cola-deug 's mi 'g obair ach cha b' urrainn dhomh suidhe is bhithinn air leapa bhig nuair bhithinn ullamh ach a' feitheamh gus am biodh an t-àm agam tòiseachadh air an tì-mhadainn a dheasachadh – is mi sìor ghabhail nam pileachan. 'S ann nuair thuirt mi nach robh mi dol dad na b' fheàrr a chuireadh mi don ospadal, thugadh dhomh X-ray is fhuaras gun robh 'slipped disc' agam. Bha mi 'n sin air mo dhruim san ospadal air leapa chruaidh fad ochd seachdainean. Thug iad 'traction' dhomh a theab an cridhe thoirt asam leis a' chràdh is ghuidh mi orra thoirt dhiom. Bha mi a' bhliadhna mhòr mun d' fhuair mi cead dol air ais a dh' obair agus fhuair mi òrdan cruaidh nach faodainn dad trom a thogail tuilleadh air neo gum biodh an staid mu dheireadh agam na bu mhiosa na chiad fhear.

Leis a sin cha b' urrainn dhomh tilleadh gu obair na h-oidhche far am feumainn togail a dhèanamh is b' fheudar dhomh dol air obair an latha is bha mi 'n sin gus an robh mi trì fichead 's a còig. Chunnaic mi nuair thill mi ann gun robh nis dithis air obair na h-oidhche, còmhla, an àite na h-aon tè mar bha mise – ach bha e tuilleadh is anmoch dhòmhsa!

Bha mi fhathast toilichte 'nam obair ge-tà agus duilich nuair a thàinig orm fhàgail aig aois tri fichead 's a còig.

Nuair a dh' fhàg mi an t-ospadal is bha 'n druim agam fhathast cho goirt ghabh mi an cothrom a dhol gu cnàmh-lighiche a bha fiosam bha fuathasach math, ach cha robh dotairean idir a' creidsinn annta aig an àm, agus dh' innis mi dha mar thachair dhomh is nach robh mi idir a' faireachdainn ceart fhathast an dèidh na h-ùine bha mi san ospadal. Thuirt e rium nach robh còir aca idir air 'traction' thoirt dhomh, gur e cron, chan e idir math a rinn sin agus fhuair mi gun robh e fìor nuair chaidh mi a dh' àite eile airson *Insurance benefit* a bha mi faighinn fad 's a bha mi thar m' obrach. Dh' innis iadsan dhomh gun robh mi nis na bu ghiorra air aon taobh na bha mi roimhe. Co-dhiù chaidh mi trì turais dh' ionnsaigh an duine fhìnealta sin agus dh' fhairich mi na b' fheàrr. Bha iad a' smaointinn air opairèisean a dhèanamh san ospadal orm, aig aon àm, ach chuir esan na cnàmhan 'nan àite fhèin gun chràdh idir dhomh. Bha cnàmh-lighiche anabarrach math anns a' bhaile againn fhìn am Barraigh, agus is e sin a thug dòchas dhomh dol gun fhear-sa agus bha mi taingeil gun deachaidh.

Is iomadh seòrsa leigheas a bh' aig na seann daoine, a chuireadh air chùl, ach a thatar a-nis a' creidsinn ann a-rithist. Tha fiosam fhìn gun robh iad a' dèanamh feum. Tha cuimhne agam air an 't-slàn lus' (*rib wort*) a bhìte cur air lotan agus a' chopag a bhìte suathadh ri losgadh na feanntaig, a bha gu math dèireach. Chanamaid "Copag mhìn, mhìn loisg an fheanntag mhosach mi" is sinn a' suathadh na copaig ris an 'losgadh' is bha i toirt faothachadh dha.

Bha iad a' creidsinn gun robh gu leòr aig a' ghealaich agus lìonadh is tràghadh na mara ri dhèanamh ri breith is bàs agus nuair bhiodh a' ghealach làn gum biodh neach sam bith bha fàillinn 'na chiall na bu mhiosa – tha 'n t-ainm Laideann aig a' ghealaich a' toirt dhuinn an fhacail tha air.

Bha tinneas eile ann nach cluinnear iomradh air a-nis agus is e sin tinneas an Rìgh, a rachadh aig an t-seachdamh mac air a leigheas.

Nuair bha teaghlaichean mòr aig daoine, bho chionn iomadh
bliadhna, gheibhte seachdar mhac na bu bhitheanta na gheibhear
an-diugh, tha fios, ach bha feadhainn ag ràdh gur e faoin-sgeul a bh'
ann gun leighiseadh an seachdamh mac rud sam bith a bharrachd
air mac eile co-dhiù. Nach robh e iongantach ma-tà gun robh
leigheas a' tachairt fo làimh an t-seachdamh mic?

B' aithne dhomh fhìn aon a chaidh a leigheas mar sin – bha e
càirdeach dhomh – agus chuala mi, bho mhàthair, mar thachair is
tha fiosam gun robh e fìor. Bha 'm pàisde mu bhliadhna dh' aois
nuair thòisich an rud, le lot a thàinig ri taobh na cluaise aige agus
dh' iongnaich e. An sin sgap e mach às is dh' fhalbh an t-iongar ach
nuair a shaoil i bha e dol a leigheas lìon e suas air ais is thachair an
aon rud a-rithist ach bha nis a lot na bu mhò. Chuir i dh' iarraidh an
dotair is thug esan dhi ol-ungaidh a chuireadh i air ach 's ann a' sìor
dhol na bu mhiosa bha e. Thàinig smaointinn uice gun cuala i gu
robh tinneas an rìgh air cuideigin anns a' bhaile ach nuair chaidh i
dh' fhaighneachd mu dheidhinn dh' àicheidh bean-an-taighe gun
robh sin fìor.

Ach fhuair i 'na ceann gur e seo a bh' ann. Cha robh seachdamh
mac air an eilean aig an àm ach dh' innseadh dhi gun robh fear am
Mallaig agus, ged nach robh i fhèin ach mu fhichead bliadhna dh'
aois aig an àm bha de mhisnich aice gun do dheasaich i am pàisde
agus i fhèin agus dh' fhalbh i leis air a' bhàta-aiseig a Mhallaig.

Nuair ràinig iad Mallaig dh' fheòraich i do dhuine bh' air a'
chidhe càite robh an taigh a bha i ag iarraidh is dh' innis i dha a
turas. Bha e fuathasach coibhneil is smèid e air balach òg agus
thuirt e ris "Fhalbh thusa thun an taighe còmhla rithe" agus thug e
sia sgillinn às a phòca 's thug e 'na bhalach e.

'S e chiad shealladh a fhuair i dhen t-seachdamh mac, gille beag 's
e briseadh a chridhe a' caoineadh airson piseag bheag a bh' air chall
air. Thàinig a mhàthair thun an dorais 's nuair a dh' innseadh dhi
fàth an turais chuir i fàilte orra leis a h-uile coibhneas is, nuair a
rinn i tì, dh' iarr i air a mac fhèin am pàisde thoirt do rùm eile agus

dh' innis i dha gun robh e a' feum leigheas "Agus cuiridh tu do làmh air", thuirt i ris. Dh' fhalbh e gu toilichte còmhla ris a' phàisde, a bha an cothrom beagan coiseachd a dhèanamh, 's cha robh cuimhne air a' phiseig tuilleadh. "A-nis", thuirt ise ri màthair a' phàisde, "bhon a dh' fheumas tusa falbh air an ath bhàta nì e, ann an ùine nas giorra, cho tric is a dh' fheumas e a làmh chur air a' phàisde agus tha cùmhnantan agadsa thu fhèin ri chumail agus, os cionn gach rud feumaidh tu creidsinn. Na bi gabhail fadachd oir bheir e cho fada a' leigheas 's a bha e bhon tòiseachadh aige."

Thill iad dhachaigh agus lean am boireannach na cùmhnantan a fhuair i gu dìleas agus thòisich an lot air leigheas, is mar a thubhairt b' fhìor; thug e cheart ùine a' leigheas 's thug e bhon a thòisich e. Dh' fhan làrach an lot air taobh an aodainn aig an duine fad a bheatha – is math tha cuimhneam air!

'S e leigheas creideimh a bh' ann gun teagamh agus tha gu leòr a' creidsinn an-diugh bu bheil leigheas ann a làmhan cuid de dhaoine agus, gun chreideamh càite 'm bitheamaid? Nuair tha sinn beag tha sinn a' creidsinn nar pàrantan; nuair thèid sinn don sgoil tha sinn a' creidsinn san fheadhainn tha gar teagasg. Nuair tha sinn tinn tha ar n-earbsa san dotair agus feumaidh sinn – air neo chan fhaigh sinn air adhart gu sìorraidh – creidsinn annainn fhìn. Ach, os cionn a h-uile rud, feumaidh sinn creidsinn anns a' Chruthadair a thug dhuinn gach tàlant, beag no mòr, mar tha againn, 's tha seòrs' air choreigin aig gach aon againn.

Nach iomadh rud a thatar a' dèanamh an-diugh le lèigh-lann, a shaoileadh sinn, nuair bha mise òg, nach gabhadh iad dèanamh gu sìorraidh. Tha feadhainn ann a th' air an coisrigreadh airson math a dhèanamh don chinne-daonna 's tha toirt seachad am beatha fhèin air a shon ach, mo thruaighe, tha feadhainn eile ann a tha cur gach tàlant a fhuair iad gu sgrios thoirt air an t-saoghal. 'S e iadsan bu chòir a ghlasadh suas nuair bhiodh a' ghealach 'na h-àird!

Nuair dh' fhàg mi m' obair, aig tri-fichead bliadhna 's a còig, car aindeonach, feumaidh mi ràdh, cha robh fiosam ciod a dhèanainn rium fhìn. Bha mi ann an deagh shlàinte agus gu math comasach air leanail orm airson bliadhnachan fhathast ach ged bha mi fhìn 's an fheadhainn a bha os mo chionn ag iarraidh sin thuirt an riaghaltas "chan fhaod thu, tha thu ro shean a-nis agus suidhidh tu an oir na luatha 's gheibh thu peinsean beag robach nach cumadh sinn fhìn ann a 'cigars' agus is còir dhut bhith gu math taingeil".

Bha na seann daoine duilich gun robh mi fàgail. Thuirt aon dhiù "Cuin a tha thu tilleadh?" Dh' innis mi dha nach bithinn a' tilleadh idir 's thuirt e "Cò nis a choimheadas às mo dhèidh-sa?" Chuir e smaointinn orm cho beag fios tha againn ciamar a bhitheas ar làithean deireannach. B' àbhaist dhàsan bùth bhith aige fhèin. 'S e obair a bha mi dèanamh a dh' fhàg mi gu math iriosail, tha mi 'g innse dhuibh.

Rinn mi gu leòr de dh' fhighe nuair thàinig an dìomhanas orm nach do chleachd mi riamh. Bha mi nis leam fhìn is mo mhic le dachaighean dhaibh fhèin. Thill an duine agam nuair thug e fhèin suas a' mhuir ach cha robh ùidh aige ann an dad sam bith air tìr. 'S e duine sàmhach a bh' ann ach bha fiosam nach robh e toilichte is cha do dh' iarr e eòlas a chur air na nàbaidhean. Chleachd e, cho fada, bhith leis fhèin air bòrd bàta 's e coimhead às dèidh a' chriù, 's e maraiche fuathasach math a bh' ann ach, mar gu leòr dhe sheòrsa, rinn e a bheatha den mhuir is bha e nis ga h-ionndrain mar bha mi fhìn ag ionndrain m' obrach ach bha gnothaichean eile agamsa a chuirinn m' inntinn ris is rinn mi càirdean cuideachd. Chleachd mi bhith aonaranach fad iomadh bliadhna nuair thog an teaghlach air falbh ach bha m' obair agam 's cha robh mi doirbh mo riarachadh.

Ged tha 'mhuir feumail airson beò-shlainte dhaoine 's e bana-mhaighstir chruaidh, gun iochd tha innte cuideachd agus is mairg a bheir a shaoghal dhi gu buileach. An deireadh an là bidh e falamh! Dh' fhiach i trì uairean ris an duine agam a shlugadh suas – feumaidh gun robh aingeal coimhideach gu math dìleas dhà ach is cinnteach nach do chuidich sin leis, ged is duine mòr, làidir a bh' ann.

Cha robh maraichean ann cho math ris na h-eileanaich. Bha e cho nàdurra dhaibh agus is iomadh fear dhiubh fhuair suas gu inbhe oifigich, ach nach iomadh seòladair òg, feadhainn cho òg ri seachd-bliadhn' deug a chaidh a chall anns a' chogadh cuideachd, mo thruaighe!

Bha mi riamh dèidheil air bhith leughadh agus nuair a sguir mi de dh' obair bha tuilleadh ùine agam airson sin a dhèanamh. Cha robh cleachdadh agam air bhith dol a-mach mòran is bha mi toilichte gu leòr 'nam staid. Ach an sin dh'fhairich mi gun robh sgleò air aon dem shùilean 's cha robh mi idir a' faicinn cho math. Shaoil mi gur e speuclairean a bha dhìth orm is chaidh mi gu fear eòlais fradhairc airson sin fhaighinn ach is ann thuirt e rium gu feumainn a dhol gu fìor eòlaiche a chionn 's gu robh rudeigin ceàrr a dh' fheumte faicinn dha gun dàil.

Chaidh mo thoirt do chlionaic nan sùilean a dh' fhaicinn an duine seo agus, nuair chuir e mo shùilean tron h-uile seòrsa sgrùdaidh shuidh e sìos mu m' choinneamh is dh' innis e dhomh gur e glaucoma a bh' ann agus gun robh tè dhe na sùilean agam cha mhòr dall cheana is mar faighinn opairèisean gun dàil air an tè eile nach robh cho dona fhathast, gum faodainn a dhol dall buileach an ùine glè ghoirid. Thug sin balgam a' chlisgidh dhomh!

Chaidh an opairèisean thoirt dhomh air an t-sùil a b' fheàrr cho luath 's a ghabhadh dèanamh. Dh' innis iad dhomh nach tilleadh am fradharc tuilleadh aon uair 's gu milleadh an galair shùilean-sa e agus gur ann uime sin a bha iad a' dèanamh na sùil a b' fheàrr an toiseach airson am fradharc a bh' innte a chumail cho math 's a bhà e. Ach fhuair iad a-mach a-nis cuideachd nach seasainn an 'anaesthetic' a fhuair mi, gus mo chur a chadal, tuilleadh – oir theab mi cuairt fhada, bhuan a ghabhail!

Bha mi faicinn na b' fheàrr a-nis agus, goirid an dèidh sin, rinn iad an opairèisean air an t-sùil bu mhiosa – is mi bruidhinn ris a làmh-lèigh a bha ga dhèanamh fad na h-ùine, is esan ag innse dhomh dè bha tachairt. Cha do dh'fhairich mi cràdh ach na biorgaidhean a thug iad dhomh mun cuairt mo shùil ro-làimh.

Nuair fhuair mi speuclairean bha mi gu math taingeil is mi smaointinn cho goirid 's a chaidh mi do dhol dall! Cha bhithinn tuilleadh a' gabhail a h-uile nì mar gum biodh còir agam air. Nach e 'n seanfhacal tha fìor "Cha bhi meas air tobar gu an tràigh 's cha bhi fios a' chràidh gu an tig". Cha tuig sinn na bheil againn gus an caill sinn e! 'S ann an uair sin a smaointich mi air leabhar a sgrìobhadh, fad 's a bha fhathasd an cothrom agam agus gun innsinn ann do m' oghachan fhèin an seòrsa saoghail is dòigh-beatha bh' aig cloinn nuair bha mise òg; bha leithid de dheifir eadar na linntean is gum biodh e doirbh leò a chreidsinn.

Chòrd e rium cho math (is a h-uile rud a' tighinn 'nam chuimhne às ùr) a bhith sgrìobhadh mar seo is gur ann a sgrìobh mi barrachd mòr 's a bha dùileam. 'S anns a' Bheurla a sgrìobh mi e oir cha robh a' Ghàidhlig idir aig m' oghachan. Nuair bha e ullamh, sheall mi e do m' mhac, Alasdair, agus dh' fhaighnich mi dha gu dè a bharail air agus chòrd e ris cho math is gur ann a chuir e ann an clò-sgriobhadh e dhomh.

Saoil am b' fhiach e fhoillseachadh? thuirt mi rium fhìn, ach gu grad chuir mi bhuam a smaoin.

Sgrìobh mi dhà neo trì de sgeulachdan beaga an Gàidhlig mun aon àm, feadhainn a bhiodh mo sheanmhair ag innseadh dhomh fhìn nuair bha mi òg. Nochd iad sin ann an *Gairm*. Bha seo a' cur seachad na h-ùine cho math dhomh is a' toirt m' inntinn air falbh bho ghnothaichean eile airson greise. Chuimhnich mi an toileach-adh a bha sgrìobhadh a' toirt dhomh nuair bha mi san sgoil agus gur ann bu chòir dhomh bhith air a chumail suas. Dh' iarr mo mhac, Dòmhnull, orm sgeul bheag a sgrìobhadh mun chù, Sally, a bh' againn am Barraigh agus mu dheidhinn a' choin a bha aige fhèin bhon a thàinig e Shasann agus rinn mi sin dha agus rudan mar sin ann am Beurla gus a thoileachadh ach cha robh 'n còrr mun deidhinn.

'S ann an sin a thainig bana-charaid dhomh fhìn agus an duine aice gam choimhead. Chan fhaca mi Dàibhidh riamh reimhid is chan fhaca mi Màiri Ella bhon bha i 'na nighinn òig 's i 'g obair ann an Oifis a' Phuist am Bàgh a' Chaisteil. Rinn mi toileachadh mòr riù. 'S e nighean aig bràthair eile do Dhòmhnull Mac na Ceàrdadh – a dh' ainmich mi roimhe – bh'ann a Màiri Ella agus is e a h-athair, Murchadh, a dh' ionnsaich mo bhràthair fhèin an toiseach air a' bhocsa-ciùil a chluich. Co-dhiù 's ann a dh' innis mi dhi mun leabhar a sgrìobh mi agus, sgìth 's mar a bha i, 's iad a' falbh an ath mhadainn, chuir i roimpe gu leughadh i e agus an sin thuirt i rium gum b' airidh e air fhoillseachadh. "Cò chuireadh ùidh 'na leithid siud?" thuirt mi. "Chan fhiach e 'n t-saothair". Ach thuirt i gu feumainn a chur air falbh agus gun cuireadh i fhèin ainmeannan fhoillsichearan thugam nuair thilleadh i dhachaigh, agus rinn i sin.

Chuir mi brath thun a nighean aig bana-charaid eile dhomh fiach an robh seann deilbh do Bharraigh aice bhon bha fiosam gun robh ùidh mhòr aice fhèin sa h-uile rud bho na seann linntean agus i 'na bean-teagaisg a bharrachd, agus rinn Màiri Ceit sin gu luath dhomh. Thug mo mhac, Alasdair, dhomh deilbh a ghabh e fhèin cuideachd, a bha math. Fhuair mi ainm foillsichearan an Glaschu agus sgrìobh mi an sin is fhuair mi brath an leabhar a chur air adhart agus cha mhòr gum b' urrainn dhomh chreidsinn nuair a dh' innis iad dhomh gum biodh iad toilichte a ghabhail.

Aig trì-fichead bliadhna 's a seachd-deug rinn mi rud nach saoilinn gu sìorraidh gun dèanainn rim mhaireann!

Ach, mar a biodh mo dheagh bhana-charaid air tighinn aig an àm a thàinig i tha mi cinnteach gun robh mo leabhar-sa fhathast a' cruinneachadh duslach air sgeilp.

Fhuair mi litrichean coibhneil bho chàirdean, agus eadhon bho Mhac Nèill Bharraigh e fhèin, a bharrachd air feadhainn nach fhaca mi riamh, a dh' innse dhomh cho math 's a chòrd mo leabhar riù. Thàinig feadhainn gam choimhead airson innse dhomh mar thug e 'nan cuimhne nuair bha iad fhèin òg – bha aon bhoireannach a thuirt rium gun do cheannaich i còig copaidhean dheth airson an

cur gu a càirdean aig a Nollaig. Agus bha mise fhathasd a'
smaointinn gun dùisginn uaireigin 's gum faighinn a-mach gur e
aisling a bh' ann uile.

An sin gheall mi dhomh fhìn nan sgrìobhainn leabhar gu bràth
tuilleadh gur ann an Gàidhlig a bhitheadh e, a shealltainn nach do
rinn mi riamh dìochuimhne air mo chànain fhèin – nam b'e dad idir
gur ann a dh' fhàs mi na bu mhiosaile oirre – ged is fhada bho nach
d' fhuair mi an cothrom air a bruidhinn, ach nuair bhruidhneas mi
ri m' phiuthair ann am Baile Chaolais air neo ri caraid eile à
Barraigh air a fòn.

Tha e toirt toileachadh mòr dhomh nuair chluinneas mi gum
bheil a' Ghàidhlig a-nis air ath-bheothachadh anns a' Ghaidh-
ealtachd agus gu bheil iad ga teagasg anns na sgoiltean a-rithist – gu
bheil pròis air daoine gun tèid aca air a bruidhinn, an àite bhith
fiachainn ri cur fo roc, mar gum biodh gnothach nàrach, mar bha
feadhainn a' dèanamh. Bha ùidh riamh agam innte agus, ged nach
d' fhuair mi mòran ùine ga h-ionnsachadh san sgoil, chuir mi
romham gu leughainn 's gu sgrìobhainn i cho math 's a b' urrainn
dhomh, ged tha fiosam nach bì ceann-labhairt Gàidhlig gu sìorraidh
agam cho math 's a bh' aig mo shìnn-seanair. Cha robh daoine, ag
an àm sin, ga measgachadh le faclan Beurla idir mar bha sinne
cleachdadh gu tric.

Chunnaic mi, bho chionn ghoirid air Di-Dòmhnaich, seirbheis
Ghàidhlig air an telebhisean à eaglais Naomh Cholum Cille a chòrd
rium air leth math. Bha coithional mòr anns an eaglais agus gu leòr
de dh' fhèilidhean rim faicinn. Bha an searmon math agus dh' innis
a ministear mu fhèin-fhiosrachadh a bh' aige turas a chaidh e
choimhead duine bha fuathasach tinn san ospadal, a dh' innseadh
dha nach robh ann an cothrom a shùilean fhosgladh na a thuigsinn
ciod e bhatar ag ràdh ris – ach nuair bhruidhinn a ministear ris ann
an Gàidhlig – nuair dh' fhairtlich gach nì eile air – dh' fhosgail e a
shùilean is chunnaic a ministear gun robh ciall annta is gun robh e
tuigsinn na bha e 'g ràdh ris. Thuirt e an toileachadh a thug e dha

gun robh e ann an cothrom a chuideachadh aig àm a bhàis, air thàilleabh na Gàidhlig a bhith aige.

Sheinneadh na laoidhean 'Abide with me' (agus tha mi smaointinn gur ann air fonn 'An Ataireachd Ard' a bha i) agus 'Amazing Grace' is na faclan aca air a shealltainn ann an Gàidhlig mar bha iad a' seinn. Bha iad math gu dearbh!

Chan ann tric a thachras gum faigh sinn a leithid fhaicinn air telebhisean Anglia.

12. Air Chuairt do Bharraigh

Thill mi air cuairt do Bharraigh (an ceann deich bliadhna bhon turas mu dheireadh a bha mi ann) còmhla ri m' mhac is mo bhana-chliamhain. Rinn iadsan suas an inntinn, gun fios dhomh, gun robh iad a' dol gam thoirt ann nuair bha mi gu bhith tri-fichead 's a naoi-deug mar ghibht shònraichte a bha fios aca a chòrdadh rium.

Nuair bhris iad a naidheachd rium thuirt mi riutha nach robh mi idir a' dol ann, gun robh mi air tuineachadh ro fhada far an robh mi airson gluasad às a-nis fad 's bhithinn beò.

Ach bha cho math dhomh mo bheul a chumail, thuirt iad rium gun robh h-uile rud air a chur an òrdan 's nach robh feum dhomh cur 'na aghaidh a-nis. Cha robh mi idir airson dragh thoirt dhaibh 's gun e cho furasda dhomh faighinn mun cuairt leam fhìn a-nis idir mar a b' àbhaist dhomh is bha fios aca air a sin 's cha do dh' innis iad dhomh e gus a' mhionaid mu dheireadh.

Mar e mise bha taingeil dhaibh-san! Thog e mo chridhe mar nach dèanadh rud sam bith eile air an t-saoghal. Rinn mo mhac an t-astar eadar Ipswich agus an t-Oban ann an ùine nach smaointicheadh mise a ghabhadh e dèanamh. Rinn mi toileachadh ris an Oban fhaicinn a-rithist ach bha 'n dìle 's an t-uisge ann cho mòr 's nach b' urrainn dhomh an càr fhàgail airson coimhead mun cuairt air neo dhrùidheadh e orm. Dh' fhan mi gus an tàinig am bàta-aiseig is an deach an càr air bòrd.

'S e toileachadh a th' ann a bhith dèanamh an aiseig a-nis seach mar a b' àbhaist e bhith is chan eil e toirt leth na h-ùine nas mò.

114

Bàta brèagha glan leis a h-uile goireas airson cofhurtachd innte bharrachd, chan ann robach, mì-thlachdmhor mar a bha 'n t-seann fheadhainn.

Nuair thàinig sinn an sealladh Bhàigh a' Chaisteil thog mo chridhe mar a b' àbhaist dha nuair a bhithinn a' tilleadh dhachaigh sna làithean a dh' fhalbh ged nach robh idir mo dhachaigh ann a-nis.

Bha caisteal Chìosmuil an siud 'na fhreiceadan air a' bhàgh mar a bhà e tre na linntean, sàmhach, a' cumail aige fhèin na chuala 's na chunnaic is na dh' fhairich e. Smaointich mi nan rachadh aig na clachan glas ud air bruidhinn nach iomadh sgeul a dh' innseadh iad mu na h-amannan a dh' fhalbh air nach eil againn ach beul-aithris a-nis. 'S iomadh uair, fad 's a bha mi fuireach am Barraigh, a dh' iarrainn taobh a-staigh a' chaisteil fhaicinn – bha mi eòlach gu leòr air an taobh a-muigh aige fhaicinn fad mo bheatha, bho mhuir 's bho thìr ach, mar as trice thachras chan e 'n fheadhainn tha fuireach ann an àite is motha chì dheth idir ach an fheadhainn a thig air chuairt ann agus sin mar a thachair dhòmhsa, b' fheudar dhomh fanail gus an tàinig mi air chuairt ann mun d' fhuair mi an cothrom a dhol ann.

Agus nuair a chaidh mi ann rinn mi mion-rannsach air na bha fosgailte dhan t-sluagh dheth – bha 'n dachaigh aig Mac Nèill fhèin, a tha 'n taobh a-staigh a' chaisteil – dùinte suas gus an tigeadh e à Ameireaga, mar a bhiodh e tighinn a ghabhail còmhnaidh ann fad greise san t-samhradh. Dh' fhiach mi ri ìomhaigh fhaicinn 'nam inntinn mar a bhiodh an caisteal a' coimhead bho chionn fhada ach cha b' urrainn dhomh 's gun ann a-nis ach a' chnàimhneach aige, le ballachan lom, a tha mi cinnteach gun robh grèis-bhratan orra is gnothaichean dhen t-seòrsa sin; na staidhrichean cloiche cuideachd saoil am biodh brat orrasan? Chan eil fios agam idir. Ged a bha cho fada bho nach robh mi am Barraigh bha 'n aon fhàilte bhlàth a' feitheamh orm is cha robh mi fada gus an robh mi faireachdainn mar nach robh mi riamh air falbh às. Cha smaointichinn air falbh bhon taigh gun mo dhoras a ghlasadh an seo ach bhàtar a' cur an aon earbsa às an t-sluagh an sin mar bha iad riamh.

'S ann goirid don taigh a bh' againn fhìn – ach a bha nis air a dhèanamh suas às ùr – a bha sinn a' fuireach, (ann a 'flat' a chaidh a chur ris an taigh aig ar seann nàbaidh) ann a-measg ar càirdean fhèin – Roddie air an robh mi eòlach bhon rugadh e agus a bhean, Mòrag is a nighean aca, Màiri, is bha mi mar gum bithinn aig an taigh. Bha leithid de choibhneas ga shealltainn dhuinn is rachainn a-null air chèilidh air Roddie is Mòraig nuair bhuaileadh an taom mi is cha robh e gu deifir dè cho trang 's a bhiodh Mòrag (is bhà i sin) dhèanadh i mo bheatha an sin.

Cha robh mòran dhem cho-aoisean air a fàgail a-nis is rinn mi oidhirp air na b' urrainn dhomh fhaicinn diubh fad 's a bha mi 'm Barraigh, mar a bha Mòr Bhàn (Mòrag NicAmhlaigh) a bha còmhla rium san sgoil agus a bhios mi faicinn, bho àm gu àm, air 'videos' a bhitear a' dèanamh air an eilean. Tha ùidh mhòr aig Mòraig ann an eachdraidh an eilein agus fiosrachadh air na linntean a dh' fhalbh, a fhuair i bho h-athair. Bha esan, fad iomadh bliadhna, air bàta an Taigh-Sholais, 's e freasdaladh do na daoine bh' anns an taigh-sholais, an Ceann Bharraigh, leis a h-uile riatanas à Bàgh a' Chaisteil a shamhradh 's a gheamhradh agus gu tric cha bhiodh an turas cuain 'na shùgradh. Mar a thubhairt mi tha cladaichean cunnartach mun cuairt an eilein is chan eil gin nas miosa na mun cuairt Mhiughalaigh is Ceann Bharraigh. Nach e sin a thug air muinntir Mhiughalaigh an t-eilean àlainn, torach a bha sin fhàgail gu buileach bho chionn còrr agus ceithir fichead bliadhna air ais.

Tha fiosam fhìn cho math air a sin oir is ann a Miughalaigh a rugadh 's a thogadh m' athair agus is ann tha mo sheanmhair agus bràithrean m' athar air an tiodhlaiceadh. Nach tric a chuala mi m' athair a' bruidhinn air an eilean air an robh meas aige riamh, is e 'g ràdh nach robh iad air fàgail gu sìorraidh mar biodh e cho cunnartach faighinn ann is às. Chanadh e gur e sin a chuir an grèim-lòinidh air cho dona, na fhuair e de fhliuchadh is ànradh nuair dh' fheumadh iad dol a Bhàgh a' Chaisteil anns a h-uile seòrsa sìde, a dh' iarraidh gach nì bha dhìth air muinntir an eilein, 's gun aca ach na sgothan ràmh a ghabhadh a leithid de dh' ùine dèanamh an astair.

Is math a b' aithne dhomh an tè mu dheireadh a rugadh ann a' Miughalaigh, Mòrag Nic na Ceàrdadh (b'e a h-ainm pòsda Mòrag NicGhill'eathain), 's i bana-charaid dhomh fhìn a bh' innte agus b'i sin am boireannach ciatach is bha mi gu math duilich nuair fhuair mi naidheachd a bàis. Bhiodh Mòrag mu aois mo pheathar a b' aosda fhèin, tha mi smaointinn.

Dh' iarrainn na b' fhaide de dh' ùine bhith agam còmhla ri Mòrag Nic Amhlaigh; tha a h-inntinn cho òg 's cho fosgailte 's a bha e riamh agus daonnan naidheachdan beaga èibhinn aice. Tha i fuathasach cuideachdail 'na dachaigh fhèin – mar bha màthair roimhpe agus tha bhlàth sin ann nuair ràinig i ceithir fichead bliadhna a dh' aois san t-samhradh (mar rinn mi fhìn) fhuair i mealadh-naidheachd às gach cearn den t-saoghal, a bharrachd air na càirdean 's na nàbaidhean a chaidh thun na pàrtaidh aice.

Nuair bha i òg thugadh Mòr Bhàn oirre oir bha falt fuathasach bàn oirre agus lean an t-ainm sin ged tha falt gu math nas gile nis. Chaidh òran brèagha dhèanamh do Mhòraig nuair bha i òg, "Gruagach òg an fhuilt bhàin" agus le fonn snog air cuideachd. 'S math a sheinneas Mòrag i fhèin e fhathasd.

Chaidh mi choimhead air mo bhana-charaid, Iseabail Nic-Fhionghain (Belle, mar theireamaid rithe) agus rinn i mo bheatha gu coibhneil mar a b' àbhaist. 'S i nighean aice, Màiri Ceit, a dh' ainmich mi cheana a thug dhomh na deilbh airson mo leabhair agus, an turas seo, rinn i dhomh craobh-sloinnte mo dhaoine a tha mi fuathasach taingeil dhi air a shon. Tha ùidh mhòr aice 'na leithid seo agus tha i math air a chur ri chèile. B' fhìor thoigh leam a bhith còmhradh ri Màiri Ceit, tha i math air eachdraidh an eilein, rud a bha mi fhìn riamh ùidheil ann cuideachd agus tha mi gu math fada 'na comain airson a coibhneis.

Fhuair mi flath is fàilte chur orm anns gach dachaigh an deachaidh mi ach bha mi gu math duilich nach rachadh agam air tadhal air tuilleadh dhe na càirdean coibhneil a thug cuireadh dhomh. Bha mo mhac agus a bhean aige gam thoirt thun nan taighean don deachaidh mi agus gam fhàgail airson cèilidh 's an sin a' tilleadh gam iarraidh a-rithist agus, ged a bha iad fhèin a' sìor ràdh rium gun robh iad gu math toilichte sin a dhèanamh dhomh, bha e cur dragh orm nach robh saorsa aca fhèin idir air mo thàilleabh.

Chuir mi romham gum biodh na feasgair anmoch aca dhaibh fhèin agus cha deach mi ach do dh' aon chèilidh san talla. Bha mise gu math riaraichte às a sin, cha robh cleachdadh agam air a dhol a-mach idir, ach do na bùithean, aig an taigh.

Bha an dàrna seachdain do dh' fhèis Bharraigh ann aig an àm is bha gu leòr de dh' aoigheachd a' dol air adhart, eadar cèilidhean anns gach talla air an eilean mu seach is gach rud a ghabhadh smaointinn air gus an sluagh a thoileachadh. Chaidh sinn gu na 'Games' air a' mhachair air taobh an ear an eilein, agus is bochd nach robh an t-sìde na b' fheàrr an dèis an dìcheall a chuireadh anns an deiseachadh aca. Ach chaidh am prògram a chur air adhart a dh' aindeoin na sìde.

Bha an sgoil ùr air a dèanamh na bu mhò a-nis agus thathas a' dol a dhèanamh linne-shnàmh an taobh a-staigh nan crìochan aice. Smaointich mi air a sgoil bhig bhochd anns an d' fhuair mi fhìn m' ionnsachadh, gun ach an fheumalachd lom innte, gun bhlàths ach teine an oisean an rùm nach blàthaicheadh ach na bha fìor ghoirid dha. Nach iomadh latha geamhraidh a bhiomaid a' reothadh innte! Ach, ma bha i gann air goireasan bha i math ann an ionnsachadh. Bha luchd-teagaisg innte a bha fìor dhùrachdach do'n dreuchd agus a bha faicinn gum faigheamaid ar n-ionnsachadh gu math. Tha mi cin teach gun robh sinn fortanach anns an dòigh sin agus tha mi taingeil airson an fhòghlam a fhuair mi; ràinig mi an treasamh leabhar do Caesar ann a Laideann mun robh mi ceithir bliadhn' deug.

Chaidh mi suas don t-seann sgoil agus dhìrich mi na steapaichean a dhìrich mi cho tric nuair bha mi òg. Is ann 'na sheòrsa de thaigh-iongantais a bha an rùm air an robh mi cho eòlach – is e làn de ghnothaichean a b' àbhaist a bhith 'nam pàirt dhe m' dhòigh beatha aig aon àm ach a bha nis 'nan annas don òigridh nach fhaca riamh iad. Smaointich mi rium fhìn "Is e 'museum piece' a th' annam fhìn a-nis cuideachd" agus rinn mi snodha beag gàire oir cha robh mi a' faireachdainn sean 'nam inntinn idir is mi cuimhneachadh air a h-uile rud cho math 's ged a b' ann an dè bh' ann.

Bha iomadh leabhar mòr ann, làn do dheilbh agus eachdraidhean mun eilean. B' fheàrr leam gun robh seachdain agam airson coimhead rompa uile.

Chaill mi mo shuim gu buileach is cha tàinig mi thugam fhìn gus na thill mo mhac gam iarraidh. 'S ann a bha mi ann a saoghal eile 's mi faicinn – chan e idir na bha mu m' choinneamh, ach an treasda air an robh mi 'nam shuidhe còmhla ri m' bhana-chompanaich a' bhliadhna mu dheireadh san sgoil. Cho beag 's a bha 'n saoghal a' cur oirnn is sinn cho dòchasach às na bha romhainn!

Thug tè dhiubh, Ealasaid, a-mach an dreuchd a bha i 'g iarraidh – a bhith 'na bean-teagaisg – agus bha mi gu math eòlach oirre 's i fuireach goirid dhomh agus i teagasg an sgoil Bhàgh a' Chaisteil.

Bha sinn a-nis pòsda, le chèile – mise ri mac bràthar a màthar – ise le aona mhac agus mise le dithis. Bhiodh sinn a' cuimhneachadh air na làithean a dh' fhalbh. Is e ise cuideachd a thug misneach do m' mhac beag nuair bha e cur teagamh mu thilleadh don sgoil an dàrna latha. Dh' fhalbh e gu toilichte còmhla rithe-se 's cha do sheall e air ais.

Rinn e feum mòr dhomh tilleadh air mo chuairt. Chunnaic mi atharraichean gu leòr ann an dòigh-beatha nan daoine – agus gu h-àraid anns a' chloinn, bha iad mòran na bu chinntiche asda fhèin agus is e deagh rud a bha sin. B' àlainn leam a bhith gam faicinn a' dannsa agus a bhith 'g èisdeachd rin ceòl. Sheall iad gu luath na tàlantan a bh' aca nuair chaidh misneach a chur annta agus tha nis teipean bhideo agam, a fhuair mo mhac dhomh, air am faic mi iad 'nam dhachaigh fhìn, a' cumail bèo an ùidh a th' agam daonnan ann an eilean m' àraich.

Fhuair mi an cothrom cuideachd air dhol tarsainn a' chabhsair (ged nach robh e fhathast deiseil gus fhosgladh) a chaidh a dhèanamh thairis air a' chaolas eadar eilean Bharraigh agus eilean Bhatarsaigh – nach fhada bha iad a' feitheamh ris! Tha iomadach bliadhna bhon a bha muinntir Bhatarsaigh a' tagradh airson a leithid seo mun tigeadh air na bh' anns an eilean fhàgail air fad. Bha e eadhon sna pàipearan naidheachd mar a bha 'n òigridh air an cumail air leth bhon chòrr an eilean Bharraigh air tàilleabh an aiseig a dh' fheumte dhèanamh. Agus nach iomadh beatha a chaidh an call a bharrachd, a dh' fhaodadh a bhith air an sàbhaladh nam biodh còir air ceart ach, mar a chanadh iad an toiseach mo chuimhne, "Bidh chòir mar a chumar i 's an t-òr mar a roinnear e".

'S e aon turas a chaidh mi tarsainn a' chaolais don bhaile air an taobh eile, còmhla ri boireannach a bha eòlach ann. Chaidh sinn tarsainn na beinne gu taobh a' chaolais agus dh' èigh i air cuideigin tighinn gar n-iarraidh. Bha mise air mo nàireachadh bhith cur an draigh air an duine ach seo a bhite dèanamh is thàinig an duine gu deònach agus thill e air ais leinn a-rithist gun sgillinn a ghabhail air a shon.

'S e aon uair a bha mi ann am baile Bhatarsaigh cuideachd is dh' fhan mi an oidhche ann. Bha gu leòr de chàirdean aig m' athair ann a Bhatarsaigh, feadhainn a bha fuireach ann a Miughalaigh mar bha e fhèin is a thàinig orra fhàgail. Cha robh mi ach glè òg aig an àm is mi san sgoil. Chan eil cuimhne agam ro mhath ciamar a bha na taighean air a suidheachadh ann ach bha taigh mòr Bhatarsaigh – a bha aig fear Bhatarsaigh nuair a bha 'n t-eilean 'na thuathanachas aige 's gun a' fuireach ann ach a theaghlach fhèin agus an fheadhainn a bha 'g obair dha, agus bha gu leòr dhiù-san ann – fhathast 'na sheasamh agus is ann a bhiodh na dannsaichean aca aig

Càrn-cuimhne an *Annie Jane*.

Mo bhràthair Niall (Niall Peigi mar theirte ris) a' cluich a' bhocsa-ciùil
anns an taigh.

an àm ud.

'S e eilean brèagha a th' ann a Bhatarsaigh. Choimhead mi mun cuairt fiach an aithnichinn càite 'n robh na taighean anns an robh mi ach bha atharrachadh mòr air a-nis ach chunnaic mi taighean a bh' air an deagh thogail a-nis air am fàgail falamh is a' dol a dholaidh, a' sealltainn na dh' fhàg an t-eilean mar bha. 'S e culaidh-smaointinn a bh' ann. Bha uair a bha gu leòr de thaighean ann nuair bha 'n t-iasgach trang ann am Barraigh ach dh' fhalbh an latha sin ach theid mi 'n urras gun till daoine ann a-nis bhon a fhuaras an cabhsair is a thèid aca air falbh is tighinn mar is miannach leo gun a bhith 'n eisimeil gaoithe no fairge.

Chunnaic mi deannan bheathaichean ag ionaltradh gu socrach air a' mhachair agus bha mi smaointinn air an dòigh a dh' fheumadh muinntir an eilein an crodh a thoirt gu margadh, tre na bliadhnachan gus an d' fhuair iad an cabhsair. Dh' fheumadh iad toirt air na beathaichean bochda smàmh tarsainn a' chaolais – rud nach robh dèanamh ach cron do na creutairean truagha a bhiodh air an clisgeadh agus sàrachadh mòr dhan fheadhainn a bha falbh leo. Nach beag iochd a bh' anns an fheadhainn a bha tionndadh sùil dhall ris a' ghnothach seo 's gun a' fiachainn ri a leasachadh bho chionn fhada.

Chaidh mi cuideachd a choimhead (airson a' chiad uair 'nam bheatha) a' chlach-cuimhne a chuireadh suas airson an fheadhainn a chaidh an call air an 'Annie Jane' anns a' bhliadhna 1853, air an Tràigh Shiar aig Bhatarsaigh. Tha e coltach gun d' rinn a sgiobair aig a' bhàta-dhìte seo mearachd anns a' chùrsa a ghabh e is rinn na siantan an còrr. Chaidh eadar trì agus ceithir cheud dhe na feadhainn-aiseig a bh' innte a bhàthadh. Fhuair beagan is ceud am beatha aiste is thugadh iadsan gu dachaigh an tuathanaich, Dòmhnall Bhatarsaigh, mar a theirte ris. Cha robh daoine fuireach ann a Bhatarsaigh aig an àm ach na bha 'g obair don tuathanach mhòr seo. Cha rachadh agam air a sgrìobhadh a bh' air a' chàrn-cuimhne (a bh' air a dhèanamh air clach-ghràin) a leughadh ach chaidh a leughadh dhomh agus bha sin ag ràdh "Is ann air an ochdamh latha fichead dhen t-Sultuine 1853 a chaidh an t-eathar, an Annie Jane, a bha falbh bho Pholl a' Ghrùthain gu Quebec, a sgrios gu buileach anns a' bhàgh seo agus chaidh trì cheud gu leth eadar fireannaich, boireannaich is clann – a bhàthadh agus tha iad air an tiodhlacadh an seo".

Bha an ùine agus na siantan an dèis an comharradh fhàgail air a chloich-cuimhne agus chuir e cianalas orm a' smaointinn air na bha 'na laighe fòidhpe a thàinig gu a leithid de chrìch. Chan eil a' mhuir iochdmhor tha fios againn.

Chunnaic mi barrachd dhen eilean an turas seo na chunnaic mi riamh 'nam bheatha oir thug iad mi air fheadh air fad, eadar deas is tuath. Chan eil fios an till mi ann tuilleadh bhon tha 'n ùine ruith dhòmhsa cuideachd, ach tilleadh nar a tilleadh thog e mo chridhe gu mòr a dhol ann agus tha mi ro-thaingeil don fheadhainn a thug an cothrom dhomh fhaicinn a-rithist.

Tha mi gu math taingeil cuideachd gun d' fhuair mi an cothrom an leabhar seo a sgrìobhadh; fhuair mi a-nis m' fhìor mhiann a bha eagal orm nach tigeadh gu bràth gu buil. Cò thubhairt gun robh beatha tòiseachadh às ùr aig da-fhichead bliadhna? Is ann tha mo thè-sa air ath-nuadhachadh aig ceithir fichead!

Ma dh' fhaoite gun toir e brosnachadh don òigridh tha 'g èirigh suas is tha nis a' cur ùidh anns a' Ghàidhlig a-rithist, iad pròis a ghabhail 'nan cànain mar rud prìseil a thàinig thuca troimh na linntean bhon sinnsearachd – agus gun iad a bhith ga h-àicheadh mar a chuala mise feadhainn a' dèanamh rim linn fhèin. Theireadh iad "Gu dè feum a nì Gàidhlig dhut? Cha chuir i air adhart thu air dhòigh sam bith is chan fhaigh thu deagh obair air tàilleabh 's gu bheil i agad. 'S ann bhios iad a' magadh ort is gad atharrais ma shaoileas iad gu bheil thu 'hieland'."

Uil, tha fiosam gu bheil daoine aineolach ann is gum bì gu sìorraidh ach theid mi 'n urras nach tèid acasan air dà chànain a bhruidhinn, agus nach e call mòr a bhiodh ann nam faigheadh a'

Ghàidhlig bàs air thàilleabh dhaoine gun tùr nach do dh' ionnsaich
a bruidhinn dòigheil co-dhiù? Bu mhath leamsa barrachd de
chànainean a bhith agam ach, bho nach d' fhuair mi an cothrom air
a sin tha mi glè thoilichte gun do ghreimich mi ri m' chànain
dhùchasaich fhèin cho daingeann – agus tha mise pròiseil aiste.

Suas leis a' Ghàidhlig!

F33